2. les caractéristiques naturelles

titre : le continent et un aspect caractéristique

les gra... du relief

texte d'introduction : présentation du continent

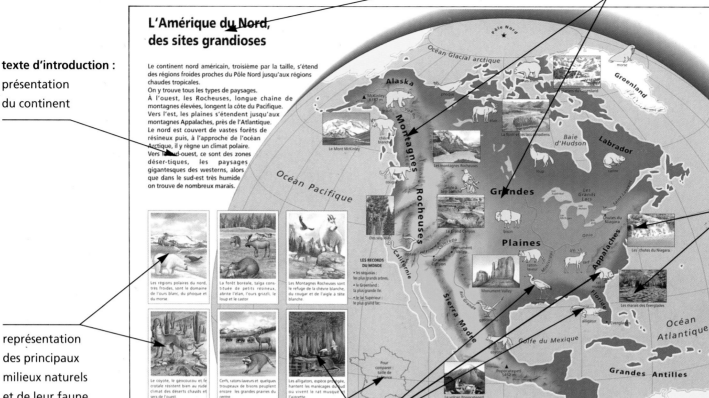

L'Amérique du Nord, des sites grandioses

Le continent nord américain, troisième par la taille, s'étend des régions froides proches du Pôle Nord jusqu'aux régions chaudes tropicales.
On y trouve tous les types de paysages.
À l'ouest, les Rocheuses, longue chaîne de montagnes élevées, longent la côte du Pacifique.
Vers l'est, les plaines s'étendent jusqu'aux montagnes Appalaches, près de l'Atlantique.
Le nord est couvert de vastes forêts de résineux puis, à l'approche de l'océan Arctique, il règne un climat polaire.
Vers le sud-ouest, ce sont des zones déser-tiques, les paysages gigantesques des westerns, alors que dans le sud-est très humide on trouve de nombreux marais.

LES RECORDS DU MONDE :
• le séquoias : les plus grands arbres,
• le Groenland : la plus grande île.
• le lac Supérieur : le plus grand lac.

Les régions polaires du nord, très froides, sont le domaine de l'ours blanc, du phoque et du morse.

La forêt boréale, taïga constituée de petits résineux, abrite l'élan, l'ours grizzli, le loup et le castor.

Les Montagnes Rocheuses sont le refuge de la chèvre blanche, du cougar et de l'aigle à tête blanche.

Le coyote, le géocoutou et le crotale résistent bien au rude climat des déserts chauds et secs de l'ouest.

Cerfs, ratons-laveurs et quelques troupeaux de bisons peuplent encore les grandes prairies du centre.

Les alligators, espèce protégée, hantent les marécages du sud où vivent le rat musqué et l'aigrette.

40

41

illustrations de sites exceptionnels

représentation des principaux milieux naturels et de leur faune

représentation de la France à la même échelle pour pouvoir comparer les superficies

silhouettes des animaux qui vivent dans cette région et dont les noms sont cités dans la légende de l'illustration correspondante *(Il peut être amusant d'identifier ces silhouettes et de retrouver les animaux dans l'une des illustrations de la page.)*

3. les caractéristiques humaines

texte d'introduction : présentation des aspects historiques qui caractérisent les pays appartenant à ce continent.

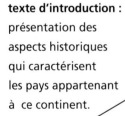

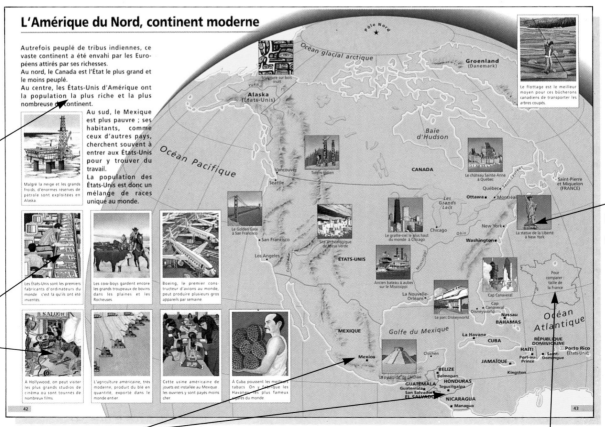

L'Amérique du Nord, continent moderne

Autrefois peuplé de tribus indiennes, ce vaste continent a été envahi par les Européens attirés par ses richesses.
Au nord, le Canada est l'État le plus grand et le moins peuplé.
Au centre, les États-Unis d'Amérique ont la population la plus riche et la plus nombreuse du continent.

Au sud, le Mexique est plus pauvre ; ses habitants, comme ceux d'autres pays, cherchent souvent à entrer aux États-Unis pour y trouver du travail.
La population des États-Unis est donc un mélange de races unique au monde.

Malgré la neige et les grands froids, d'énormes réserves de pétrole sont exploitées en Alaska.

Les États-Unis sont les premiers fabricants d'ordinateurs du monde : c'est là qu'ils ont été inventés.

Les cow-boys gardent encore les grands troupeaux de bovins dans les plaines et les Rocheuses.

Boeing, le premier constructeur d'avions au monde, peut produire plusieurs gros appareils par semaine.

À Hollywood, on peut visiter les plus grands studios de cinéma où sont tournés de nombreux films.

L'agriculture américaine, très moderne, produit du blé en quantité, exporté dans le monde entier.

Cette usine américaine de jouets est installée au Mexique où les ouvriers y sont payés moins cher.

À Cuba poussent les meilleurs tabacs. On y fabrique les Havanes, les plus fameux cigares du monde.

42

43

Un monument emblématique

les activités économiques principales

les pays et leur capitale

silhouette de la France à la même échelle pour pouvoir comparer les superficies

Sommaire

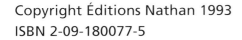

Copyright Éditions Nathan 1993
ISBN 2-09-180077-5

Conception et Réalisation : Jean-François DUTILH
Édition : Marion LELOIR
Fabrication : Jacques LANNOY
Maquette : Isy OCHOA
Couverture : Malte MARTIN
Mise en pages : ÉCRAN TOTAL
Photogravure : OFFSET ESSONNE
Colorisation des cartes : Shao XIAOGANG

Illustrations
Véronique AGEORGES : pages 8-9, 20-21, 34-35, 38-39, 48-49.
Pascale COLLANGE : pages 18-19, 26-27, 30-31.
Catherine FICHAUX, Pierre HEZARD : 4-5, 10-11, 28-29, 40-41, 44-45.
Eddy KRAHENBUHL : pages 2-3, 42-43, 46-47, 50.
Jean-Marc LANUSSE : pages 12-13, 14-15, 16-17, 23.
André VIAL : pages 24-25.
Duan Duan WU : pages 6-7,16-17 (carte), 32-33, 36-37.
Révision des textes et conseils pédagogiques : Josiane THIRIOT

N° Éditeur : 10075597-VI-36 (CSBTS) - 170 - Imprimé en France - Juin 2000
Imprimerie Moderne de l'Est - 25110 Baume-les-Dames - N° Impression : 14150

Atlas des 6-10 ans
Autour de la Terre

NATHAN

La Terre dans l'Espace

L'Univers, c'est tout ce qui existe. On appelle Univers l'espace immense qui entoure notre Terre. Il contient des milliards de galaxies formées d'étoiles. Le Soleil, si énorme à nos yeux (son diamètre est 109 fois plus grand que celui de la Terre) n'est qu'une étoile parmi d'autres galaxies.

Neuf planètes, dont la Terre, tournent très loin autour du Soleil et forment ce que l'on nomme le Système solaire.

Pour aller de la Terre au Soleil, il faudrait voyager 50 années en TGV !

Depuis longtemps, l'homme cherche à savoir s'il existe d'autres formes de vie dans l'Univers. Les observations des astronomes et les renseignements recueillis par les sondes spatiales ont montré que notre Terre était la seule planète habitée du Système solaire. Mais peut-être la vie existe-t-elle ailleurs hors de notre Système solaire ?

MERCURE

VÉNUS

LE SOLEIL

LA TERRE

LA TERRE ET LA LUNE

Notre Galaxie se compose de près de 100 milliards d'étoiles, dont le Soleil. Pourtant, ce n'est qu'un minuscule morceau de l'Univers. La nuit, on voit une partie de la Galaxie, c'est la Voie lactée.

La Terre tourne autour du Soleil. La Lune tourne autour de la Terre. Les traînées blanches qui enveloppent la Terre et laissent apparaître le bleu des océans sont des nuages : on parle de la "planète bleue".

LE SYSTÈME SOLAIRE

PLUTON

NEPTUNE

URANUS

JUPITÈR

SATURNE

ARS

Les satellites qui tournent autour de la Terre transmettent des images de la surface terrestre.

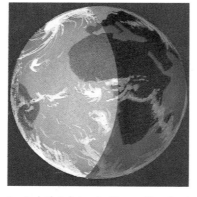

Le Soleil éclaire la Terre. Pendant qu'elle tourne, l'une de ses moitiés est dans l'ombre : il y fait nuit.

Il y fera jour quand elle sera de nouveau éclairée. En 24 heures, se succèdent un jour et une nuit.

Lorsque les nuages ne cachent pas la Terre, on distingue les continents et les océans bleus.

La terre, l'air, l'eau et le feu

Le globe terrestre est formé d'un noyau métallique en partie en fusion, enveloppé de roches solides très chaudes et malléables sur lesquelles se déplacent les plaques de la croûte terrestre. Leurs mouvements provoquent les tremblements de terre.

Mers et océans recouvrent les 2/3 du globe. Le reste de la croûte terrestre constitue les continents. Les plis à la surface de la Terre forment des montagnes et des vallées : c'est le relief. Les fleuves naissent dans les montagnes et vont à la mer ; les lacs sont des cuvettes remplies d'eau. L'atmosphère, fine couche d'air, entoure le globe.

L'océan Atlantique, large étendue d'eau salée, sépare l'Amérique de l'Afrique et de l'Europe.

L'océan Pacifique, le plus vaste, couvre, de l'Asie à l'Amérique, presque la moitié de la Terre.

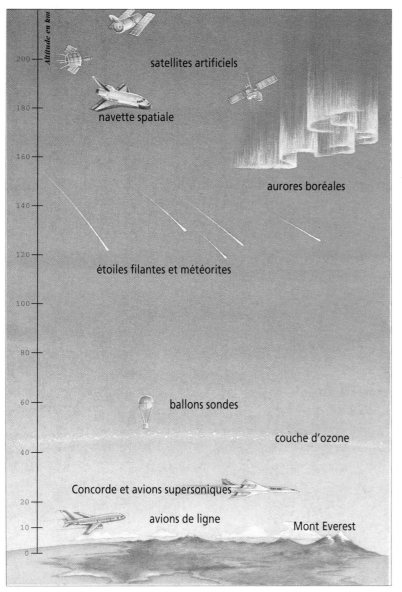

L'**atmosphère** contient l'air que l'on respire et retient la chaleur du soleil. Sa couche d'ozone filtre les rayons dangereux. Des gouttelettes d'eau circulent dans ses parties basses et forment les nuages.

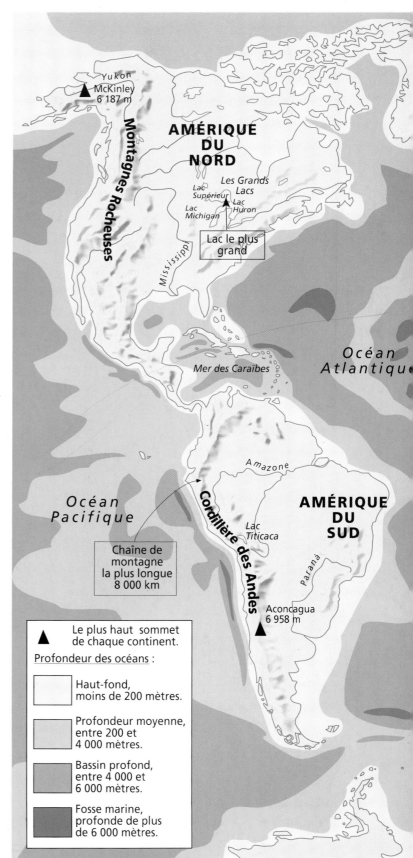

4

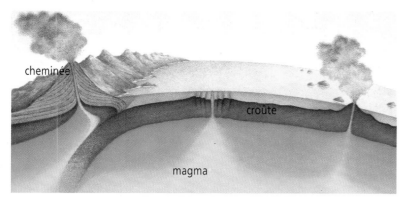

L'écorce terrestre, mince couche de roche solide et rigide, laisse par endroit sortir les roches en fusion (magma) par les cheminées des volcans en éruption.

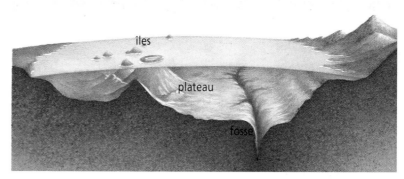

Comme la surface de la Terre, le fond des mers a son propre relief. Il y a des plateaux, des vallées et certaines, les fosses, sont très profondes. Quand les sommets des montagnes émergent, ils forment des îles.

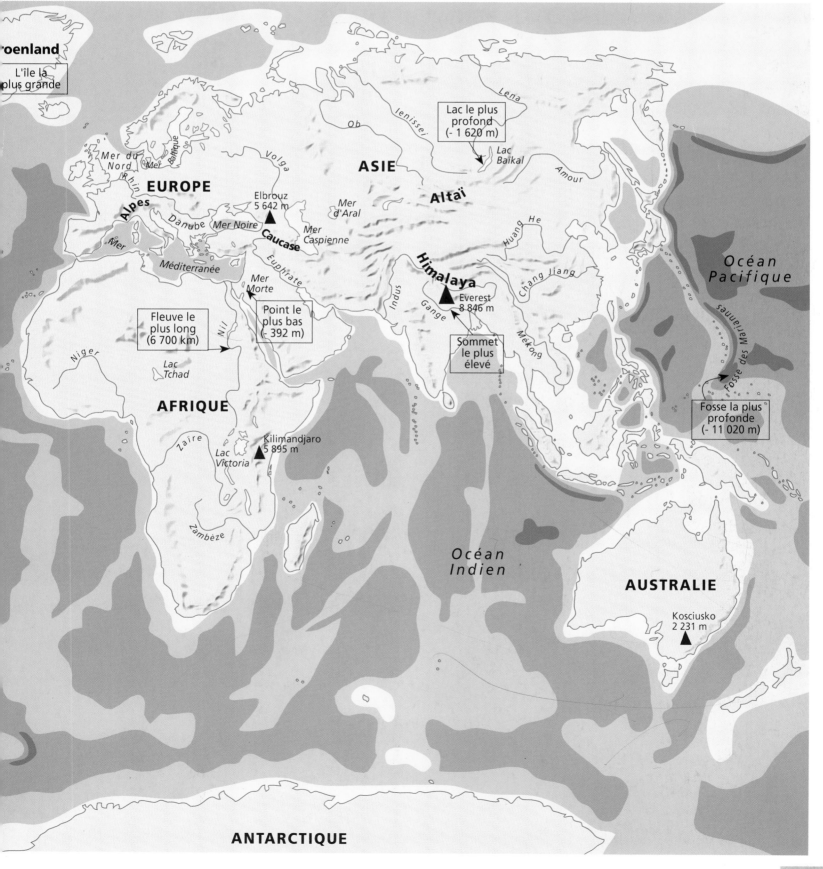

Climat et végétation

Toutes les régions de la Terre n'ont pas le même climat.

Près des pôles, il fait très froid ; près de l'Équateur, la température est élevée. En montagne, plus on monte, plus il fait froid. Des régions reçoivent beaucoup de pluies, d'autres pas du tout. À la surface des océans circulent des courants qui adoucissent le climat des continents qu'ils baignent. Tout cela détermine le climat et la végétation d'un endroit : on parle de "milieu".

Les animaux aussi sont répartis suivant le climat, ils sont adaptés à ces milieux. L'ours polaire vit près du Pôle Nord : il résiste au froid. Le dromadaire peut rester longtemps sans boire : il vit dans le désert. Les grands serpents ont besoin de chaleur et d'humidité : ils vivent dans les forêts équatoriales.

L'équilibre entre les animaux et les milieux est fragile, l'homme doit le préserver.

Le climat est doux et les pluies fréquentes : c'est la **forêt tempérée**.

Dans la **garrigue**, le climat est doux en hiver, chaud en été. La végétation est clairsemée.

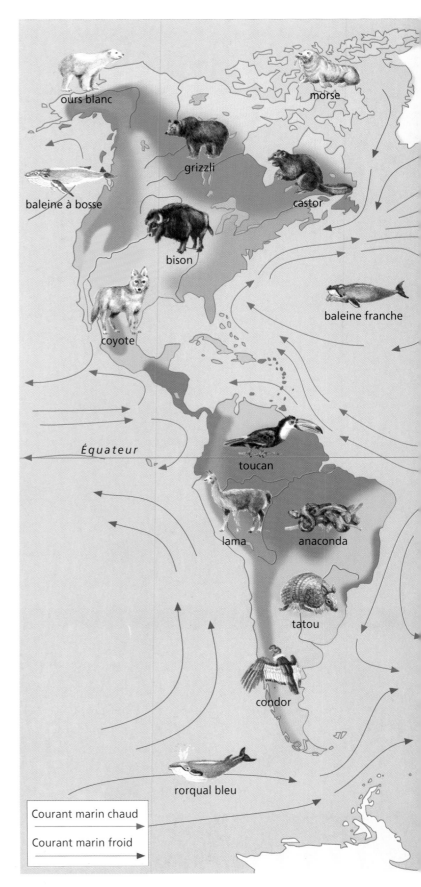

Dans le **désert** où il fait chaud le jour, froid la nuit, il y a très peu de pluie, rien ne pousse.

Les **steppes et prairies**. Étés chauds, hivers froids, vents secs : il n'y pousse que des herbes.

La **savane** est une prairie à herbe haute, avec des arbres espacés. Il y fait chaud.

Dans la **forêt équatoriale** au climat très chaud et humide, la végétation est épaisse.

Dans les **montagnes**, en altitude, la végétation cède la place aux roches et aux glaciers.

Dans les pays à hivers froids et enneigés, la **taïga** est une vaste forêt de petits conifères.

Dans la **toundra**, où souffle un vent glacé, survivent petits arbres, buissons et mousses.

Neige et glace couvrent les **régions polaires**. Ici, 6 mois de nuit succèdent à 6 mois de jour.

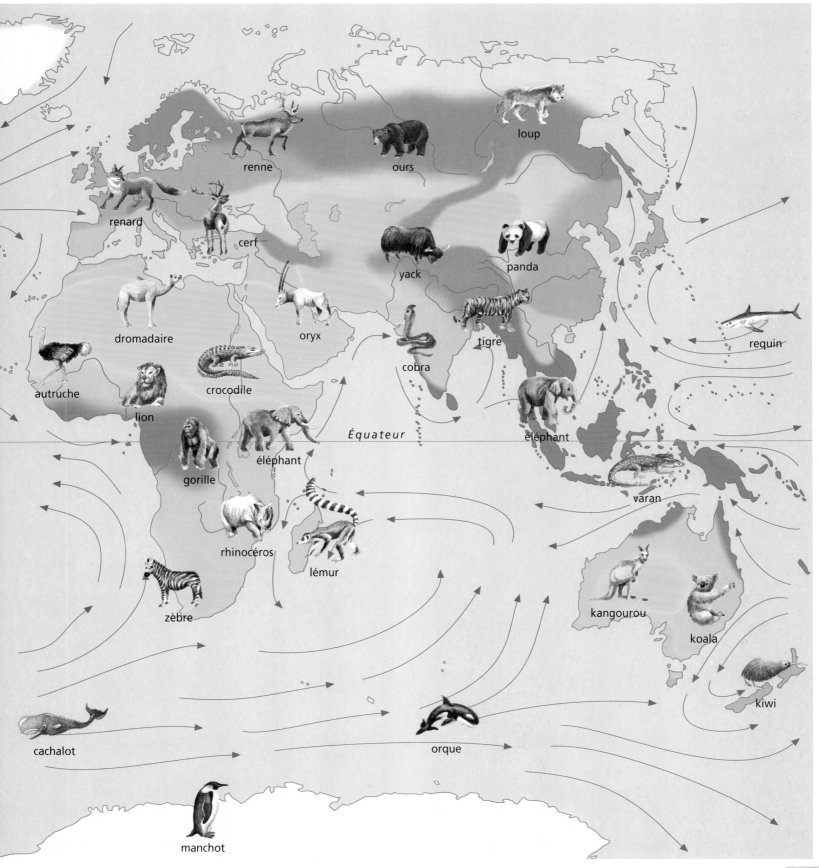

loup

renne

ours

renard

cerf

yack

panda

dromadaire

oryx

tigre

cobra

autruche

crocodile

lion

éléphant

requin

gorille

éléphant

varan

rhinocéros

lémur

Équateur

zèbre

kangourou

koala

kiwi

cachalot

orque

manchot

Les hommes occupent la Terre

Les hommes se répartissent en différentes races. Ils se sont adaptés à des régions et des climats différents.

La race blanche habite l'Europe jusqu'à l'Inde, la race noire vit en Afrique et en Océanie, et la race jaune occupe l'immense Asie.

Les hommes se sont installés presque partout. Seul l'Antarctique est vide car il est difficile d'y vivre.

Les populations se sont développées différemment et les conditions de vie sont inégales. Certains peuples vivent dans des conditions primitives. D'autres forment des sociétés modernes.

Tous ne vivent pas dans le même confort, et n'ont pas les mêmes possibilités de s'instruire ou de se nourrir convenablement.

Dans les grandes villes de certains pays vivent des gens de toutes races. Ces enfants américains ont peut-être des parents nés en Asie, en Amérique du Sud, en Afrique ou en Europe.

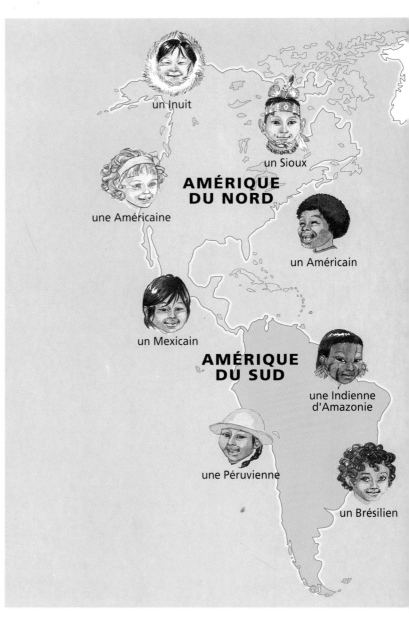

un Inuit

un Sioux

AMÉRIQUE DU NORD

une Américaine

un Américain

un Mexicain

AMÉRIQUE DU SUD

une Indienne d'Amazonie

une Péruvienne

un Brésilien

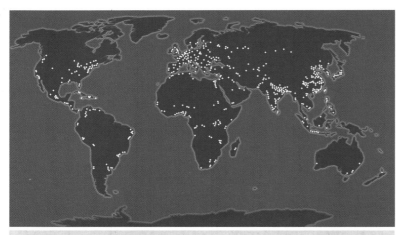

Les villes sont représentées par des points lumineux. Là où ils sont serrés, il y a beaucoup de villes donc une population nombreuse. Dans les régions où les points sont rares habitent très peu de gens.

Généralement, la famille américaine possède sa maison et a souvent plusieurs voitures. Elle comprend peu d'enfants. La plupart des gens ont le confort moderne, ils mangent bien : ils ne manquent de rien.

En Amazonie, les paysans pauvres vivent dans des cabanes au milieu de la forêt. Ils doivent élever des bêtes et cultiver la terre pour pouvoir nourrir, avec difficulté, leurs nombreux enfants.

En Europe, la plupart des familles disposent du confort moderne : appareils ménagers, téléphone, ascenseur. Les magasins d'alimentation sont bien approvisionnés.

En Inde, la majorité de la population est pauvre. Les familles sont nombreuses car les parents comptent sur leurs enfants pour les aider quand ils seront trop vieux pour travailler.

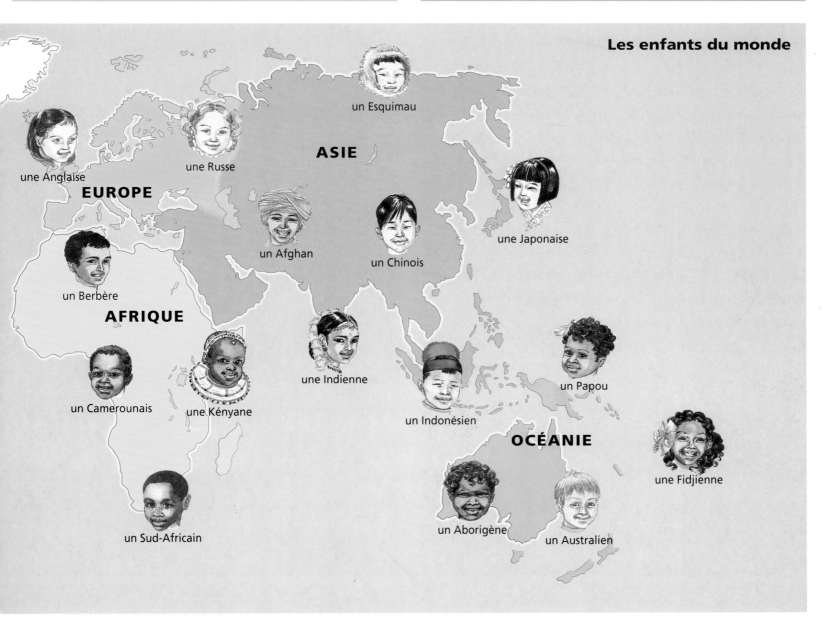

Les enfants du monde

un Esquimau

ASIE

une Russe

une Anglaise

EUROPE

un Afghan

un Chinois

une Japonaise

un Berbère

AFRIQUE

une Indienne

un Camerounais

une Kényane

un Papou

un Indonésien

OCÉANIE

une Fidjienne

un Sud-Africain

un Aborigène

un Australien

En Afrique, on trouve encore des familles qui vivent dans la brousse, sans aucun confort. Elles souffrent parfois de la famine quand la sécheresse détruit les récoltes.

En Asie, région très peuplée, vivent aussi de grandes familles. Dans certains pays pauvres, les enfants doivent travailler et rapportent ainsi un peu d'argent à leurs parents.

Les hommes aménagent la Terre

L'homme a longtemps utilisé les ressources de la Terre sans penser qu'elles sont limitées et sans faire attention à l'environnement. Maintenant, la population augmente fortement et les richesses naturelles s'épuisent. Ici et là on abat trop d'arbres, la forêt disparaît et, sur les sols très fragiles, elle fait place au désert. Ailleurs, les terres agricoles sont trop exploitées et meurent. On pêche trop de poissons qui n'ont plus le temps de se reproduire. Un jour on manquera de pétrole. Avec le progrès industriel, la pollution augmente, les déchets s'accumulent. Aujourd'hui, l'homme comprend qu'il abîme les milieux naturels et il veut protéger l'environnement. Il recherche des énergies nouvelles, des produits de remplacement, il réutilise les déchets, protège les espèces animales en voie de disparition.

On récupère les vieux papiers (journaux, emballages) avec lesquels on refait du papier neuf. Ce recyclage permet de sauver des arbres car c'est avec leur bois qu'on fabrique le papier.

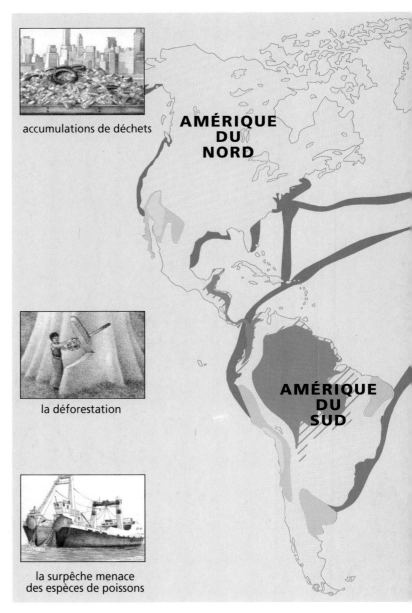

accumulations de déchets

AMÉRIQUE DU NORD

la déforestation

AMÉRIQUE DU SUD

la surpêche menace des espèces de poissons

Les éoliennes sont des moulins à vent modernes qui utilisent la force du vent pour produire de l'électricité : c'est une énergie gratuite, inépuisable et qui ne pollue pas.

Pour lutter contre l'érosion, les fermiers américains labourent leurs champs en traçant des sillons perpendiculaires à la pente du terrain. En cas de fortes pluies la bonne terre n'est pas emportée.

Il existe des réserves naturelles et des parcs nationaux pour protéger les plantes et les animaux qu'on ne doit ni chasser, ni cueillir. Ici en Argentine, on a endormi un puma pour le soigner.

Jadis, les Hollandais ont construit des digues pour fermer des baies peu profondes. Puis des moulins ont pompé et rejeté l'eau dans la mer : on a gagné des terrains cultivables.

Dans les mers, les poissons, trop péchés, risquent de disparaître. Aussi ces éleveurs de la mer japonais produisent certaines espèces dans les grands bassins des fermes marines.

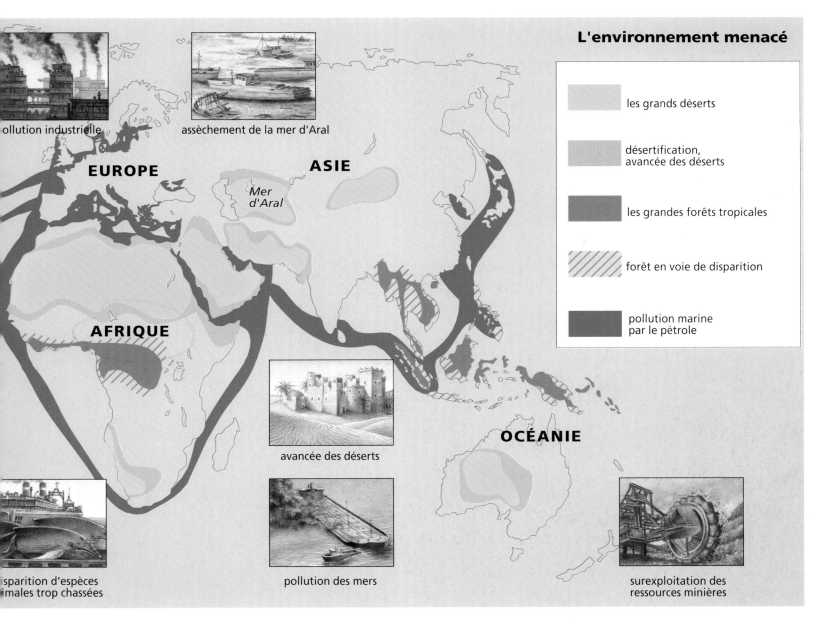

L'environnement menacé

ollution industrielle

assèchement de la mer d'Aral

EUROPE

ASIE

Mer d'Aral

AFRIQUE

OCÉANIE

avancée des déserts

	les grands déserts
	désertification, avancée des déserts
	les grandes forêts tropicales
	forêt en voie de disparition
	pollution marine par le pétrole

sparition d'espèces imales trop chassées

pollution des mers

surexploitation des ressources minières

En Mauritanie, il faut se protéger contre les dunes de sable qui, poussées par le vent, envahissent les oasis. Les habitants plantent des rangées d'arbustes qui fixent les dunes.

Ces villageois du Népal ont utilisé trop de bois pour bâtir des maisons, faire cuire les aliments ou se chauffer. La forêt a disparu et maintenant ils plantent de jeunes arbres pour la reconstituer.

La vie dans des conditions extrêmes

Les hommes vivent de façon différente suivant les régions du globe. Ils habitent certains endroits malgré les risques de catastrophes naturelles : les régions où la terre tremble, celles de volcans en activité, les zones traversées par les cyclones.

Des populations vivent sous un climat très rude : grand froid et vents violents des régions polaires, sécheresse des déserts. Malgré la mousson, période de fortes pluies, il fait ensuite assez doux pour avoir deux récoltes par an dans certains pays. À part l'Antarctique, presque toutes les régions du globe sont donc habitées. Ce n'est que récemment que la technologie a permis d'imaginer que l'on pourrait construire pour les hommes des installations sous la mer et dans l'espace.

Les Esquimaux s'habillent de fourrure et mangent des aliments riches en graisses pour résister au froid. Ils ont des motoneiges et habitent des maisons mais utilisent encore des traîneaux et des igloos.

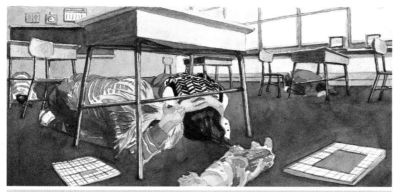

En Californie, à cause de fréquents tremblements de terre, les enfants apprennent à l'école comment s'abriter sous les tables de la classe en cas d'alerte.

Pour ne pas épuiser le peu d'herbe du Sahara, les Touaregs déplacent leur campement avec leurs troupeaux. Les vêtements qu'ils portent les protègent de la très forte chaleur.

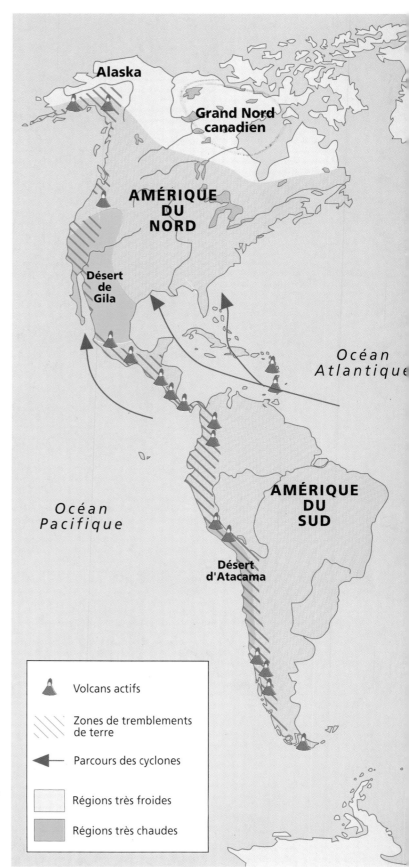

Alaska

Grand Nord canadien

AMÉRIQUE DU NORD

Désert de Gila

Océan Atlantique

Océan Pacifique

AMÉRIQUE DU SUD

Désert d'Atacama

- Volcans actifs
- Zones de tremblements de terre
- Parcours des cyclones
- Régions très froides
- Régions très chaudes

En Asie, la mousson est une période de pluies quotidiennes et violentes qui dure plusieurs semaines. Chaque année, des régions entières sont inondées : les pieds dans l'eau, la vie continue.

Les éruptions des volcans font beaucoup de victimes, mais les cendres répandues rendent les sols très fertiles pour ces paysans d'Indonésie qui vivent tout près du danger.

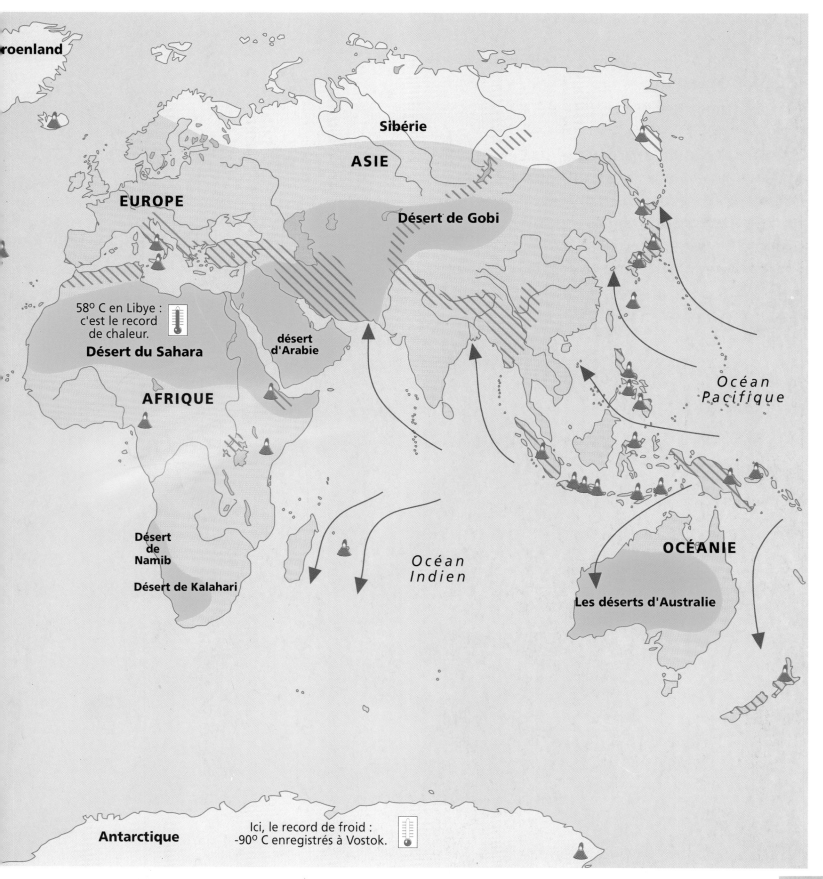

Groenland

Sibérie

ASIE

EUROPE

Désert de Gobi

58° C en Libye : c'est le record de chaleur.

Désert du Sahara

désert d'Arabie

AFRIQUE

Océan Pacifique

Désert de Namib

Désert de Kalahari

Océan Indien

OCÉANIE

Les déserts d'Australie

Antarctique

Ici, le record de froid : -90° C enregistrés à Vostok.

La vie au bord de l'eau

L'eau est très présente sur la Terre : dans les océans, les mers, les fleuves et les lacs. Elle est utilisée de diverses manières.

Des marins peuvent passer de longs mois sur leurs navires pour transporter sur tous les océans de grandes quantités de lourdes marchandises.

Les marins pêcheurs vont au loin chercher le poisson. On trouve aussi en mer des plate-formes qui puisent le pétrole du sous-sol marin.

Autrefois, pour se protéger des invasions, des villages étaient construits sur des lacs.

Fleuves et rivières, qui sont souvent utilisés pour les transports à l'intérieur des terres, permettent aussi d'arroser les cultures là où il pleut rarement. L'eau est donc très utile ; mais elle est également appréciée pour les vacances et les loisirs.

Les Inuits du Groenland vivent avec la mer ; ils en tirent leur nourriture : pour chasser et pêcher, ils se déplacent en kayak. Quand la mer est gelée, ils utilisent des traîneaux à chiens.

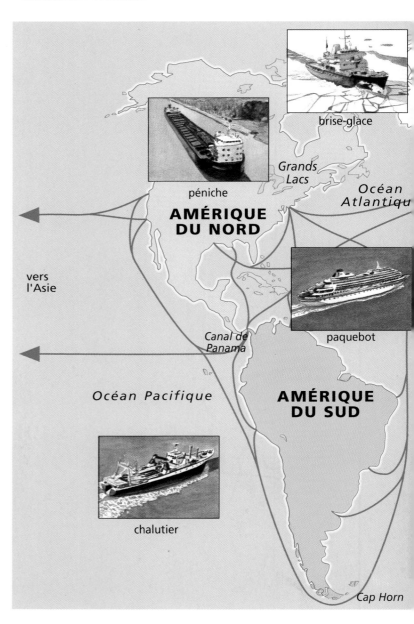

brise-glace

péniche

Grands Lacs

Océan Atlantique

AMÉRIQUE DU NORD

vers l'Asie

Canal de Panama

paquebot

Océan Pacifique

AMÉRIQUE DU SUD

chalutier

Cap Horn

À Miami, les riches habitants des marinas, habitations construites au bord de la mer ou de la lagune, se déplacent aussi bien en voiture qu'en bateau ; on peut passer directement de sa maison à son bateau.

Les hommes manœuvrent les écluses géantes du canal de Panama. Elles permettent aux gros navires de franchir par étapes les hauteurs qui séparent l'océan Atlantique de l'océan Pacifique.

Sur le lac Titicaca, au Pérou, les villages de pêcheurs sont installés sur des îles flottantes faites de roseaux. Les gens se déplacent en barques elles aussi construites en roseaux.

Venise, en Italie, est édifiée sur une lagune : les rues sont des canaux sur lesquels circulent toutes sortes de bateaux : bus, taxis, ambulances, vedettes de police. Il n'y a pas de voitures.

Hong Kong est un grand port très actif qui a une population très nombreuse. Le terrain y est si rare et si cher que de nombreux Chinois vivent dans le port, sur des voiliers appelés jonques.

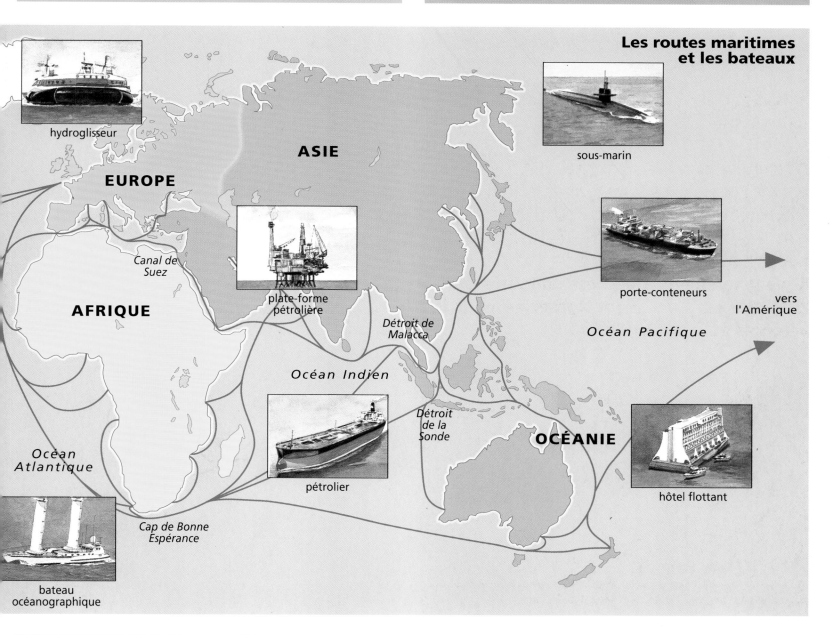

Les routes maritimes et les bateaux

hydroglisseur

sous-marin

EUROPE

ASIE

Canal de Suez

plate-forme pétrolière

AFRIQUE

Détroit de Malacca

porte-conteneurs

vers l'Amérique

Océan Pacifique

Océan Indien

Détroit de la Sonde

OCÉANIE

Océan Atlantique

pétrolier

hôtel flottant

Cap de Bonne Espérance

bateau océanographique

Le Nil, en Égypte, est un grand fleuve qui traverse le désert. Toute la vie du pays se concentre sur ses rives. Avec la noria, actionnée par un animal, les paysans puisent l'eau pour irriguer leurs champs.

Ce village de pêcheurs aux Philippines est construit sur pilotis, poteaux qui soutiennent les maisons au-dessus de l'eau. L'école et toute l'activité du village se déroulent au-dessus de l'eau.

La vie à la campagne

Tout comme les pêcheurs, les paysans fournissent notre nourriture. Les produits agricoles et la façon de les cultiver varient selon les continents.

Certains agriculteurs ne cultivent que des céréales, d'autres des fruits et légumes. Les éleveurs de bétail nous approvisionnent en lait et en viande.

De grandes plantations produisent le café, le cacao ou les bananes que l'on vend dans le monde entier. Il existe des pays où les propriétaires possèdent des domaines immenses, du matériel moderne ; ils utilisent des engrais ; aidés par des ouvriers agricoles, ils font de belles récoltes.

Ailleurs, un agriculteur travaillant seul ses petits champs avec des méthodes anciennes ne produit pas beaucoup.

En Europe, certaines exploitations agricoles très modernes utilisent pour chaque travail une machine spécialisée. Ici, on récolte et on entrepose directement à la ferme de quoi nourrir le bétail.

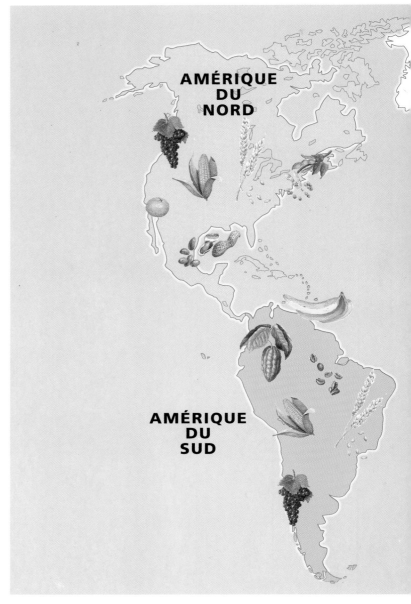

AMÉRIQUE DU NORD

AMÉRIQUE DU SUD

Dans les plaines américaines illimitées, les moissonneuses-batteuses s'élancent. Ce soir, le champ sera nu, le blé stocké près d'une voie ferrée. Machines, camions, wagons : une agriculture sur roues.

Une grande compagnie possède cette plantation de bananiers. Quand les bananes atteignent la bonne taille, les ouvriers coupent les régimes et les accrochent au câble qui les emporte vers les camions.

Les éleveurs argentins surveillent à cheval d'immenses troupeaux qu'ils guident à travers la pampa. Cette grande plaine herbeuse est aussi vaste que la France.

Dans l'Europe du Sud, les fermes sont souvent plus petites. La récolte des olives se fait à la main et on a besoin de beaucoup de cueilleurs. On trouve de petits troupeaux de moutons.

En Asie, beaucoup d'habitants se nourrissent de riz. Pour le cultiver, les paysans utilisent tout l'espace disponible et aménagent des rizières en terrasses sur le flanc des montagnes.

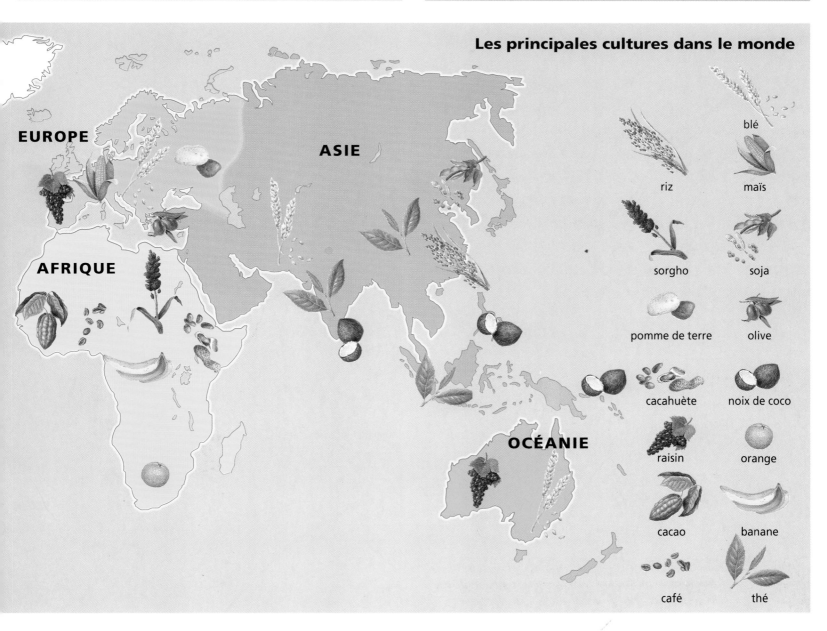

Les principales cultures dans le monde

EUROPE

ASIE

AFRIQUE

OCÉANIE

blé

riz

maïs

sorgho

soja

pomme de terre

olive

cacahuète

noix de coco

raisin

orange

cacao

banane

café

thé

La campagne africaine est organisée en petits villages de cases avec les cultures tout autour. Le travail de la terre se fait à la main et tous les habitants participent aux travaux des champs.

En Australie, tout est gigantesque : la superficie des terres et la taille des troupeaux. L'éleveur survole sa propriété en hélicoptère. Au sol, des cow-boys à cheval ou en voiture rassemblent les bêtes.

La vie dans les villes

La moitié de la population de la terre vit dans les villes, alors qu'autrefois la plupart des gens vivaient à la campagne.

Dans ces villes de tous pays, anciennes ou récentes, aux maisons serrées, parfois très hautes, il n'y a que peu de verdure.

Les citadins doivent se déplacer pour aller travailler ou faire des achats. Ils prennent le train, le métro ou l'autobus qui transportent beaucoup de monde à la fois. Ils utilisent aussi leurs voitures qui encombrent les rues : tous ces moteurs polluent. Les fumées des usines aussi.

Cependant, chaque jour, de nouvelles personnes arrivent dans l'espoir de trouver du travail. Dans les pays pauvres, elles se retrouvent dans des bidonvilles.

Fournir l'eau, l'électricité, enlever les ordures, éteindre les incendies... que de soucis pour les responsables !

Los Angeles, immense agglomération des États-Unis, s'étend sur plus de 100 km de long. Dans cette ville géante, il est impossible de travailler ou de faire ses courses autrement qu'en voiture.

D'immenses autoroutes sillonnent l'agglomération de Los Angeles.

Mexico, la plus grande ville du monde, souffre d'une très forte pollution.

AMÉRIQUE DU NORD

New York ■

■ Los Angeles

Mexico ■

Les immeubles de New York sont si hauts qu'ils cachent presque entièrement le ciel.

AMÉRIQUE DU SUD

• La Paz

Rio de Janeiro
Sao Paulo ■ ■

Buenos Aires ■

La Paz est une ville construite très haut dans les montagnes.

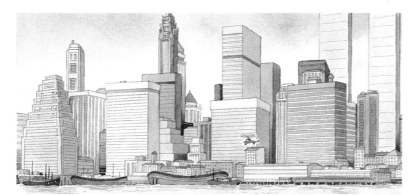

New York, ville des États-Unis, est une ville récente. Sur l'île de Manhattan, qui n'est pas grande, s'élèvent des gratte-ciel gigantesques. Cela permet de placer le maximum de bureaux sur un espace réduit.

Cette ville du Guatemala a été construite il y a 300 ans par les conquérants espagnols, comme la plupart des villes d'Amérique du Sud. C'est pourquoi elle ressemble à celles d'Espagne.

À Rio de Janeiro, au Brésil, les grands immeubles des quartiers riches bordent la belle plage de Copacabana. Sur les collines, les favelas, bidonvilles misérables, sont parfois emportés par les pluies.

À Rome, en Italie, les voitures circulent au pied de monuments qui ont parfois plus de 2 000 ans. Cette ville s'est étendue et a conservé les traces de son passé.

Dans Hong Kong, à la fois ville et territoire coincé entre la Chine et la mer, s'entasse une population active et travailleuse. C'est une des capitales du commerce mondial.

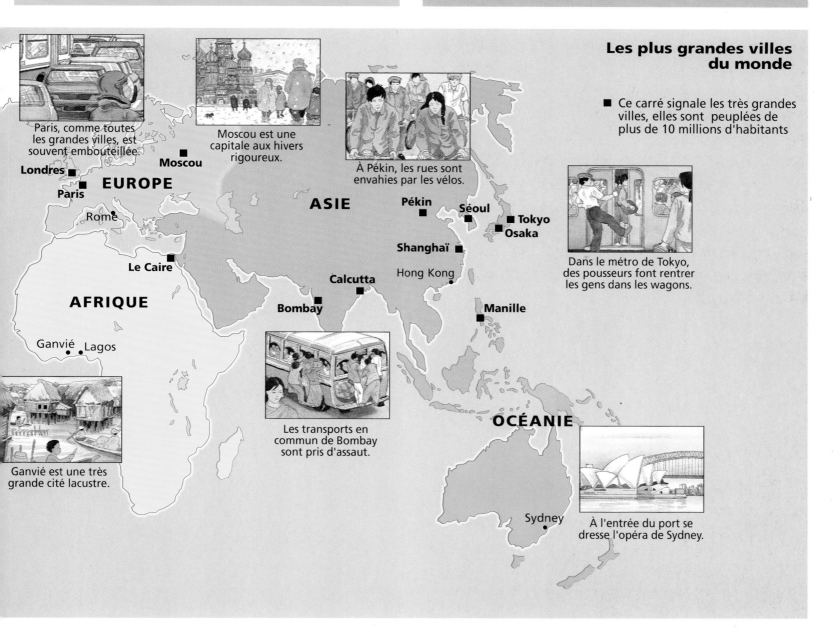

Paris, comme toutes les grandes villes, est souvent embouteillée.

Moscou est une capitale aux hivers rigoureux.

À Pékin, les rues sont envahies par les vélos.

Les plus grandes villes du monde

■ Ce carré signale les très grandes villes, elles sont peuplées de plus de 10 millions d'habitants

Londres
Paris
EUROPE
Moscou
Rome

ASIE
Pékin
Séoul
Tokyo
Osaka
Shanghaï
Hong Kong

Dans le métro de Tokyo, des pousseurs font rentrer les gens dans les wagons.

Le Caire

AFRIQUE

Calcutta

Bombay

Manille

Ganvié Lagos

Les transports en commun de Bombay sont pris d'assaut.

OCÉANIE

Ganvié est une très grande cité lacustre.

Sydney

À l'entrée du port se dresse l'opéra de Sydney.

Lagos, capitale du Nigéria, pays très pauvre, s'agrandit rapidement. Les gens vivent et travaillent dans la rue. Il n'y a pas d'égouts, les enfants jouent parfois dans la rigole.

Dans la vieille ville du Caire, en Égypte, les rues étroites et encombrées sont transformées en marchés très animés. En sortant de la ville, on peut contempler les pyramides, tombeaux des pharaons.

Autour de la Terre

Les peuples ont longtemps vécu isolés, les moyens de transports et d'échanges étant rares et limités. Ils ont développé leurs propres langues et coutumes, se sont nourris de produits de leur pays, ont construit des maisons adaptées à leur climat.

Maintenant les avions, les gros navires permettent de voyager, de connaître d'autres coutumes, d'autres langues, d'échanger des marchandises. Partout on comprend l'anglais, on écoute les mêmes disques, on voit les mêmes films.

On peut acheter des téléviseurs japonais en Europe, des ordinateurs américains en Chine, des bananes d'Afrique au Japon.

Cependant, dans chaque pays, beaucoup de gens ont conservé dans la façon de se nourrir, de s'habiller et de se loger, les habitudes de leurs ancêtres.

Selon les pays, les façons de se tenir à table et de manger varient : le Français se sert de couverts, le Japonais utilise des baguettes, l'Indien prend à manger avec ses doigts dans le plat commun.

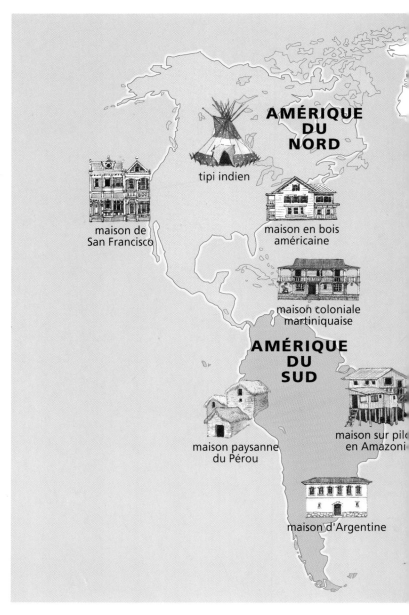

AMÉRIQUE DU NORD

tipi indien

maison de San Francisco

maison en bois américaine

maison coloniale martiniquaise

AMÉRIQUE DU SUD

maison paysanne du Pérou

maison sur pilotis en Amazonie

maison d'Argentine

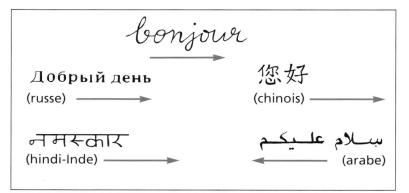

bonjour

Добрый день (russe)

您好 (chinois)

नमस्कार (hindi-Inde)

سلام عليكم (arabe)

Dans le monde, les hommes emploient des milliers de langues pour se parler. Les façons d'écrire diffèrent selon la langue : de gauche à droite, de droite à gauche, ou de haut en bas.

Les Américains font leurs courses principalement dans des supermarchés où l'on trouve tout. Ils y viennent en voiture, parfois de loin. Presque tous les aliments sont déjà triés, pesés et emballés.

Dans cette petite ville du Pérou, les paysannes vêtues de leur costume traditionnel viennent vendre les produits de leur ferme. Elles sont assises sur des tapis et présentent les marchandises à même le sol.

Dans les villes de France, le marché se tient plusieurs fois par semaine. Il est agréable de faire ses courses en plein air ; on rencontre des connaissances du quartier ou des villages voisins.

Le souk est le marché typique d'Afrique du Nord ; les boutiques étalent leurs marchandises jusqu'au milieu des ruelles étroites et couvertes qui protègent la foule des rayons du soleil ardent.

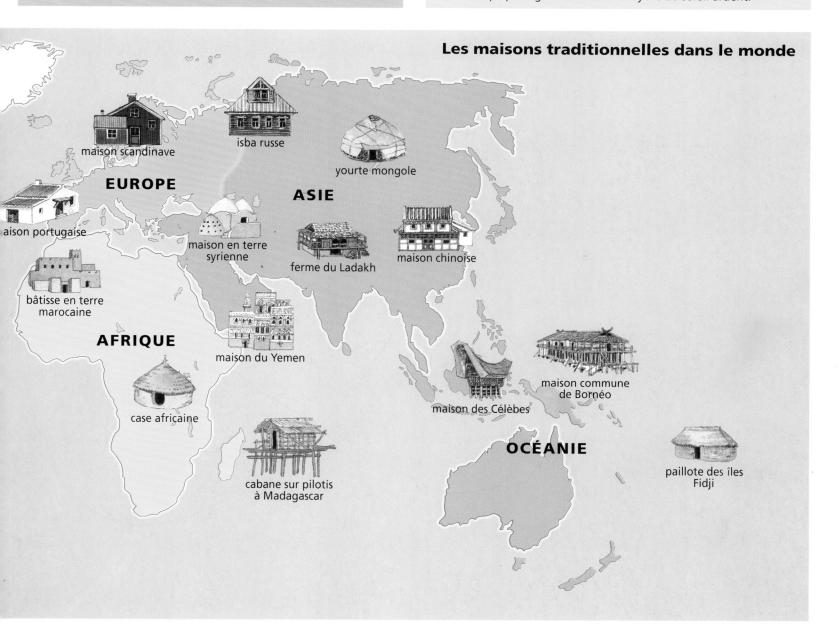

Les maisons traditionnelles dans le monde

maison scandinave

isba russe

yourte mongole

EUROPE

ASIE

aison portugaise

maison en terre
syrienne

ferme du Ladakh

maison chinoise

bâtisse en terre
marocaine

AFRIQUE

maison du Yemen

case africaine

maison des Célèbes

maison commune
de Bornéo

OCÉANIE

cabane sur pilotis
à Madagascar

paillote des îles
Fidji

En Afrique, il y a peu de magasins. Tous les produits de la campagne environnante que les paysans ont apportés s'achètent sur le marché. Parfois on n'utilise pas d'argent, on échange les produits.

Bangkok, capitale de la Thaïlande, est traversée par des canaux. Les paysans viennent en barque au marché flottant et font le commerce de leurs fruits et légumes sans mettre pied à terre.

La France
autour du monde

De petite taille, comparée aux immenses continents, la France métropolitaine a la forme d'un hexagone placé à l'extrémité de l'Europe.

Elle est divisée en 22 régions administratives qui regroupent 96 départements.

La France, c'est aussi des îles ou des terres à des milliers de kilomètres de Paris, situées dans des régions chaudes et humides ou dans des zones froides et très peu peuplées, et que l'on appelle Départements ou Territoires d'Outre-Mer (DOM-TOM).

Avec ces terres et ces îles, la France a aujourd'hui des ports dans toutes les mers du monde.

Les régions et les départements de France

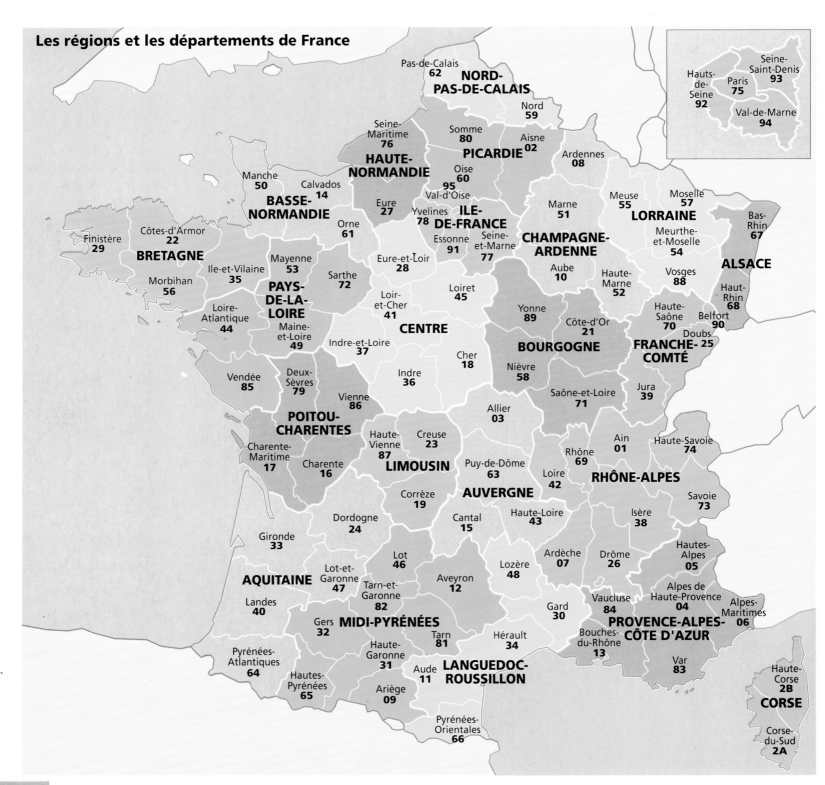

Tout près du Canada, Saint-Pierre et Miquelon sont des îles peu peuplées, au climat froid.

Au beau milieu du Pacifique, les atolls de Polynésie et Tahiti sont un paradis pour les touristes.

Dans la grande île de la Réunion, le Piton de la Fournaise est un volcan aux éruptions spectaculaires.

Dans le rude climat des îles Kerguelen, tout au sud de l'océan Indien, vivent plus de manchots que d'habitants.

La France au-delà des mers

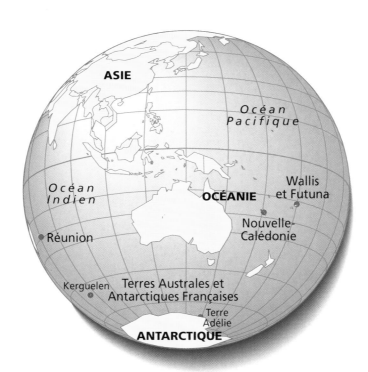

Grâce au climat, bananes et autres fruits tropicaux peuvent pousser en Martinique et Guadeloupe.

En Guyane, l'Enfer vert est la plus vaste forêt que possède la France : épaisse et toujours verte.

Conservant leurs coutumes, certains habitants de Nouvelle-Calédonie vivent encore dans des cases.

Les scientifiques qui font des recherches en Terre Adélie se déplacent sur la neige en chenillettes.

La nature en France

La France est bordée sur trois côtés par la Manche, l'océan Atlantique et la mer Méditerranée. Des côtes rocheuses découpées, des côtes sableuses et des falaises composent le littoral.

À l'intérieur, le relief est constitué de plaines à l'ouest et au nord. Les Pyrénées au sud, les Alpes à l'est (le Mont Blanc est le plus haut sommet et culmine à 4 808 m), sont des montagnes élevées aux sommets pointus. Les Vosges et le Massif Central sont des montagnes moins hautes aux formes arrondies.

L'océan Atlantique apporte à une grande partie de la France un climat doux et assez humide. Près de la Méditerranée, l'été est chaud et sec. C'est dans le nord-est que l'hiver est le plus froid.

Les sites et les parcs naturels

☐ Parcs nationaux
✴ Parcs régionaux

Manche

Les côtes de la Bretagne

Marais du Cotentin et du Bessin

Monts d'Arrée 384 m ▲

Armorique

Massif Armoricain

Normandie-Maine

Vilaine

Sart

Brière

Loire

Océan Atlantique

Marais poitevin

Le marais poitevin

Charente

Bassin d'Arcachon

La dune du Pila à Arcachon

Landes de Gascogne

Ba Aqu

Adour

Pyr

Parc des Pyrénées

Vignemale ▲ 3 298 m

Le cirque de Gavarnie dans les Pyrénées

L'été, dans les alpages et les rochers des montagnes, on aperçoit la marmotte, le chamois, le bouquetin, l'aigle et le vautour. Il reste encore quelques rares ours dans les forêts des Pyrénées.

La forêt qui couvrait autrefois la France a été défrichée au cours des siècles passés pour faire place à des champs cultivés. Dans les forêts et les bois, le renard, le blaireau, le lièvre, le cerf, le lynx et le sanglier se réfugient ; le pic-vert, la chouette et l'écureuil vivent dans les arbres.

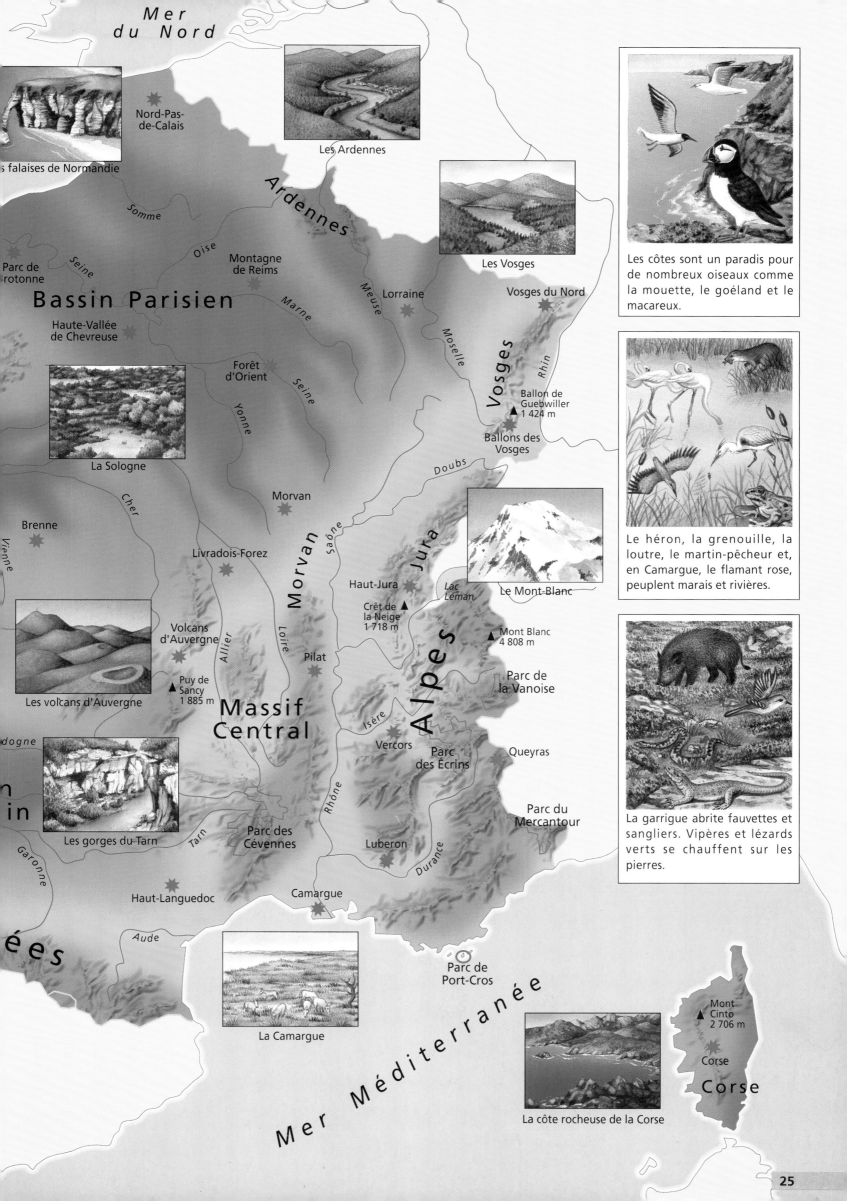

Mer du Nord

Les falaises de Normandie

Les Ardennes

Nord-Pas-de-Calais

Ardennes

Somme

Oise

Seine

Parc de Brotonne

Bassin Parisien

Montagne de Reims

Marne

Meuse

Lorraine

Moselle

Les Vosges

Vosges du Nord

Vosges

Rhin

Haute-Vallée de Chevreuse

Forêt d'Orient

Seine

Yonne

Ballon de Guebwiller
1 424 m

Ballons des Vosges

La Sologne

Doubs

Cher

Morvan

Brenne

Livradois-Forez

Vienne

Saône

Jura

Haut-Jura

Lac Léman

Le Mont-Blanc

Crêt de la Neige
1 718 m

Alpes

Mont Blanc
4 808 m

Volcans d'Auvergne

Allier

Loire

Pilat

Les volcans d'Auvergne

Puy de Sancy
1 885 m

Massif Central

Isère

Vercors

Parc de la Vanoise

Parc des Écrins

Queyras

Dordogne

Les gorges du Tarn

Tarn

Rhône

Parc des Cévennes

Luberon

Durance

Parc du Mercantour

Haut-Languedoc

Camargue

Garonne

Aude

La Camargue

Parc de Port-Cros

Mer Méditerranée

La côte rocheuse de la Corse

Mont Cinto
2 706 m

Corse

Corse

Les côtes sont un paradis pour de nombreux oiseaux comme la mouette, le goéland et le macareux.

Le héron, la grenouille, la loutre, le martin-pêcheur et, en Camargue, le flamant rose, peuplent marais et rivières.

La garrigue abrite fauvettes et sangliers. Vipères et lézards verts se chauffent sur les pierres.

Pyrénées

25

Vivre en France

La France est habitée depuis très longtemps : (le squelette de l'homme de Tautavel est vieux de 450 000 ans). Jadis entièrement couverte de forêts, la France a été mise en valeur au cours des siècles par les habitants de toutes les régions qui ont constitué son territoire.

Cette diversité se retrouve dans les villes, monuments et maisons traditionnelles.

Aujourd'hui, la France est un des 7 pays les plus riches du monde.

Elle construit à l'étranger des métros, des barrages, des aéroports, des installations téléphoniques. Elle exporte des locomotives, des avions, des fusées, des radars et les produits de son agriculture moderne : céréales, viande, vins et fromages renommés.

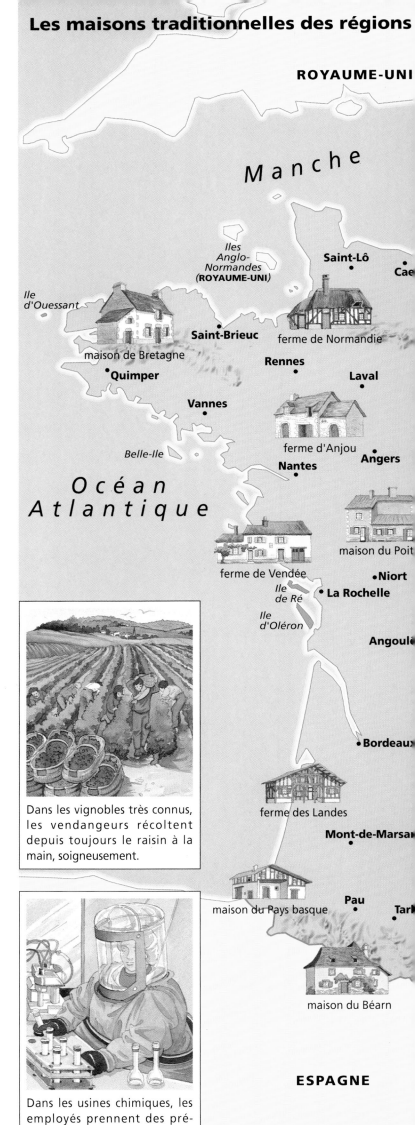

Les maisons traditionnelles des régions

ROYAUME-UNI

Manche

Iles Anglo-Normandes (ROYAUME-UNI)

Ile d'Ouessant

Saint-Lô

Cae

ferme de Normandie

maison de Bretagne

Saint-Brieuc

Rennes

Quimper

Laval

Vannes

ferme d'Anjou

Belle-Ile

Nantes

Angers

Océan Atlantique

maison du Poit

ferme de Vendée

Niort

Ile de Ré

La Rochelle

Ile d'Oléron

Angoulê

Bordeaux

ferme des Landes

Mont-de-Marsar

maison du Pays basque

Pau

Tarl

maison du Béarn

ESPAGNE

Grâce à des méthodes agricoles modernes, les paysans produisent beaucoup de denrées alimentaires.

La traite dans les alpages se fait parfois à la main. Le berger fabrique ensuite les fromages sur place.

Dans les vignobles très connus, les vendangeurs récoltent depuis toujours le raisin à la main, soigneusement.

Les satellites sont des engins de grande précision technique que la France fabrique, exporte et lance dans l'espace.

Ce sont très robots qui montent les voitures. Des dessinateurs étudient la forme des futurs modèles.

Dans les usines chimiques, les employés prennent des précautions avec certains produits dangereux.

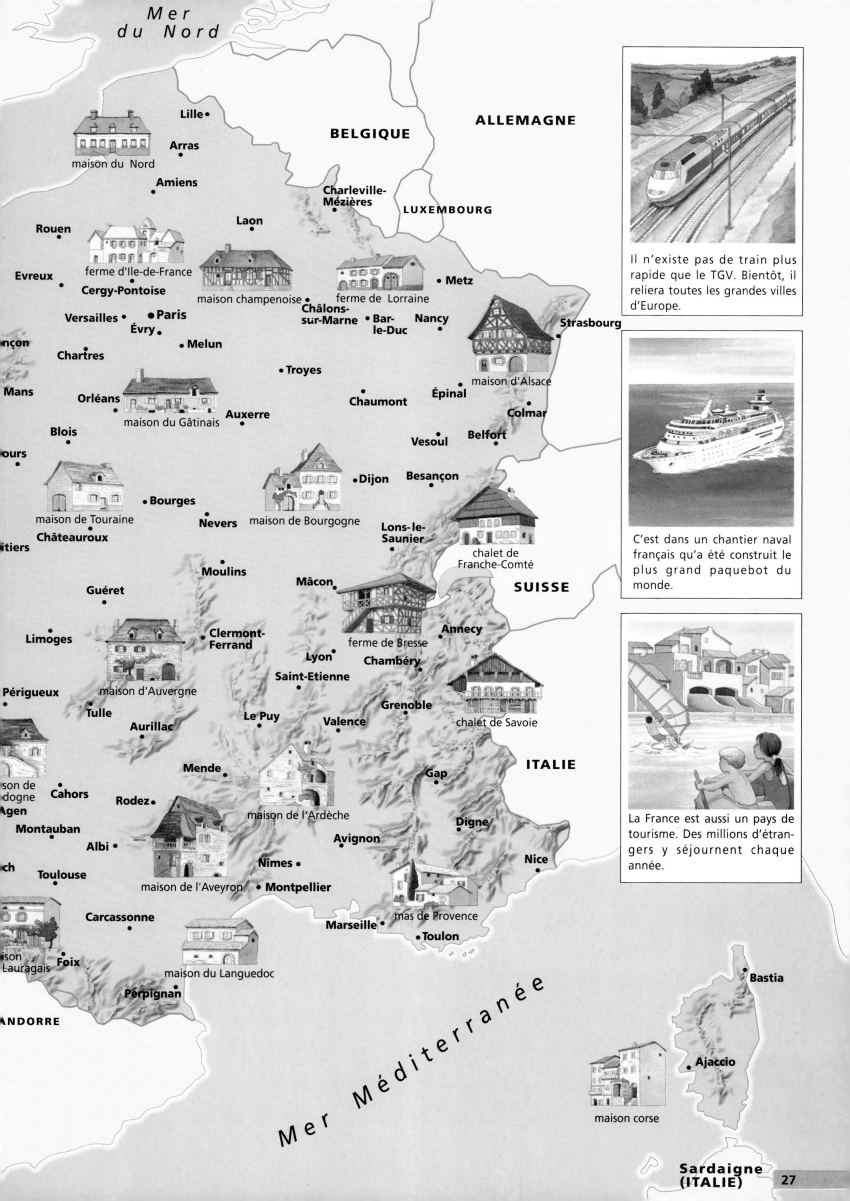

Mer du Nord

Lille

Arras

maison du Nord

Amiens

BELGIQUE

ALLEMAGNE

**Charleville-
Mézières**

LUXEMBOURG

Rouen

Laon

ferme d'Ile-de-France

Evreux

Cergy-Pontoise

maison champenoise

ferme de Lorraine

Metz

Versailles

Paris

Évry

**Châlons-
sur-Marne**

**Bar-
le-Duc**

Nancy

Strasbourg

nçon

Chartres

Melun

maison d'Alsace

Mans

Orléans

maison du Gâtinais

Auxerre

Troyes

Chaumont

Épinal

Colmar

ours

Blois

Bourges

maison de Touraine

Nevers

maison de Bourgogne

Dijon

Besançon

Vesoul

Belfort

itiers

Châteauroux

Moulins

Mâcon

**Lons-le-
Saunier**

chalet de
Franche-Comté

SUISSE

Guéret

**Clermont-
Ferrand**

ferme de Bresse

Annecy

Limoges

maison d'Auvergne

Lyon

Saint-Etienne

Chambéry

Périgueux

Tulle

Aurillac

Le Puy

Valence

Grenoble

chalet de Savoie

ITALIE

Mende

Gap

son de
dogne

Cahors

Rodez

maison de l'Ardèche

Digne

Agen

Montauban

Albi

maison de l'Aveyron

Avignon

Nice

ch

Toulouse

Nîmes

Montpellier

Marseille

mas de Provence

Toulon

Carcassonne

ison
Lauragais

Foix

maison du Languedoc

Perpignan

ANDORRE

Mer Méditerranée

Bastia

Ajaccio

maison corse

**Sardaigne
(ITALIE)**

27

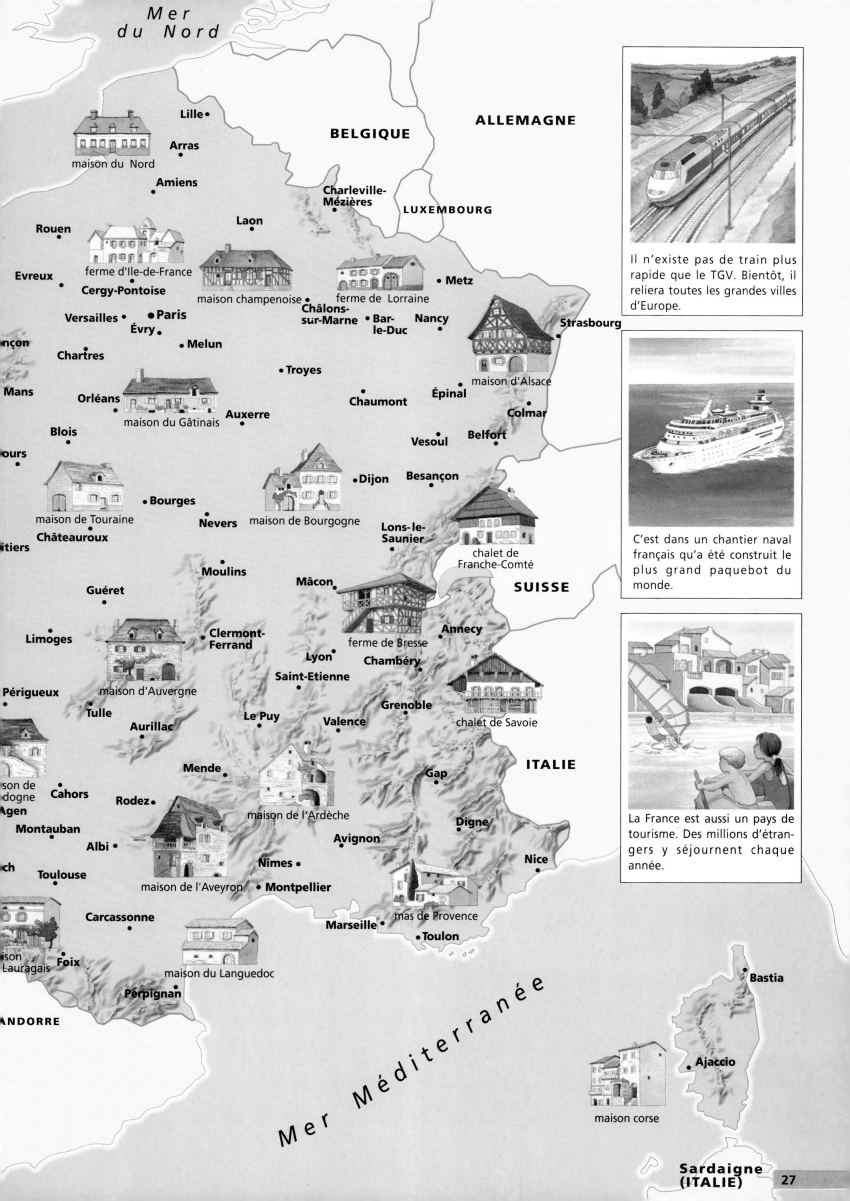
Il n'existe pas de train plus rapide que le TGV. Bientôt, il reliera toutes les grandes villes d'Europe.

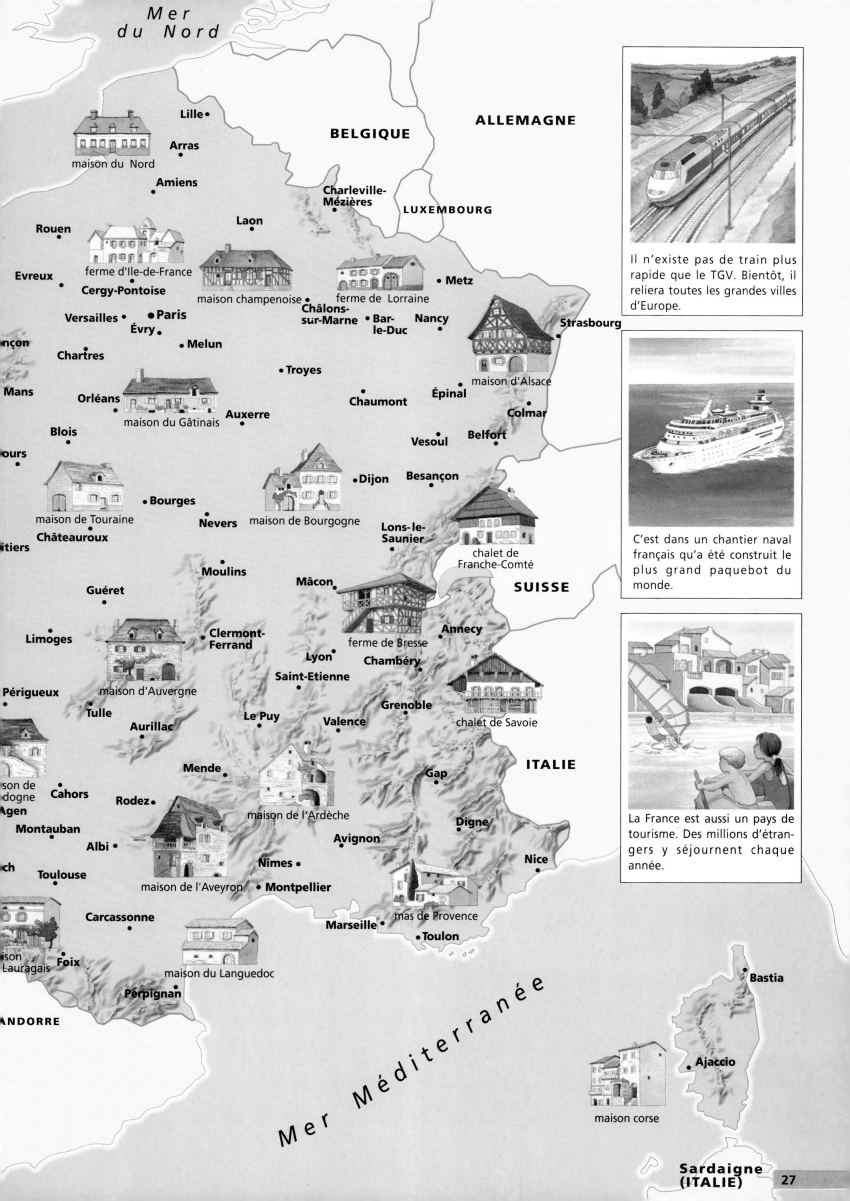
C'est dans un chantier naval français qu'a été construit le plus grand paquebot du monde.

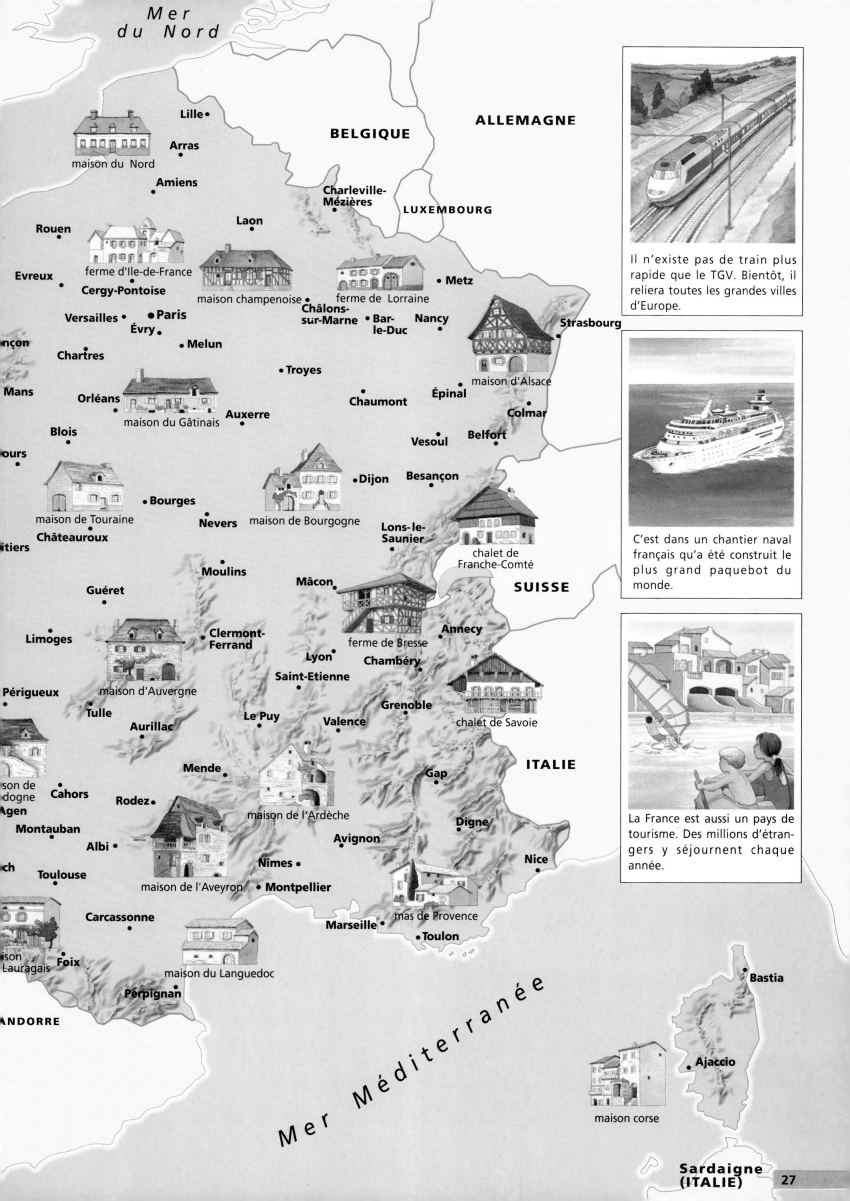
La France est aussi un pays de tourisme. Des millions d'étrangers y séjournent chaque année.

L'Europe,
à la pointe de l'Asie

Prolongeant l'Asie, l'Europe (le plus petit des continents) est encadrée par l'océan Arctique au nord, l'océan Atlantique à l'ouest, la mer Méditerranée au sud, et la chaîne de l'Oural à l'est. Formée de grandes plaines, elle est bordée au nord par les montagnes peu élevées de Scandinavie et au sud par les hauts massifs des Alpes, des Pyrénées, des Carpates et du Caucase. De petites montagnes dominent les plaines côtières de Méditerranée.
Du Nord froid au Sud chaud et sec existe une grande variété de climats tempérés qui donnent des paysages divers.

Lézards verts, vipères, porcs-épics se rencontrent dans les garrigues autour de la Méditerranée.

Islande

Un geyser en Islande

Un fjord de Scandinavie

Océan Atlantique

Mer du Nord

Scandinavie

Chaussée des Géants

La Chaussée des Géants

Les îles Frisonnes

loutre

Tamise

Manche

Rhin

cerf

Elbe

renard

Seine

chouette

lynx

bouquetin

Mont-Blanc 4 808 m ▲

Alpes

Cervin

Le Cervin

Pyrénées

Pó

Mallos de Riglos

vautour

marmotte

Tage

lézard vert

vipère

Parois des Mallos de Riglos

Mer Méditerranée

▲ Etna

L'Etna en éruption

Océan Glaci

renne

loup

Les mille lacs de Finlande

Les lacs de Finlande

ours

Volga

Mer Baltique

lowinski

écureuil

blaireau

Les dunes de Slowinski

Carpates

sanglier

Dniepr

col vert

aigle

Danube

Portes
de Fer

Les Portes de Fer

porc-épic

Météores

Les pitons rocheux des Météores

Mer Noire

Elbrouz
5 642 m
▲ Caucase

Ural

La montagne est l'un des derniers espaces sauvages au cœur de l'Europe. Il n'est pas rare d'y rencontrer des marmottes, des bouquetins, des aigles et des vautours. C'est là que se trouvent beaucoup de parcs naturels.

Ours bruns, rennes et loups parcourent la toundra, ou s'abritent sous les sapins de la taïga.

Mer Caspienne

Dans les marais et rivières, le col-vert et le martin-pêcheur sont nombreux ; la loutre, presque disparue, est plus rare.

Malgré le développement de l'agriculture, il reste encore de grandes et belles forêts de feuillus et de conifères en Europe. Le cerf, le sanglier, le renard et le blaireau s'y abritent. La chouette et l'écureuil se réfugient dans les arbres.

L'Europe, mosaïque de pays

Grâce à son passé historique riche en progrès scientifiques et techniques, l'Europe, appelée Vieux Continent depuis la découverte du Nouveau Monde (l'Amérique), est constituée de nombreux États parmi les plus riches de la terre.

Afin de faciliter le commerce entre eux et d'avoir plus d'importance dans le monde, 12 pays se sont groupés en une Communauté Économique Européenne.

Ce sont : l'Allemagne, la Belgique, la France, l'Italie, le Luxembourg, les Pays-Bas, puis le Danemark, l'Irlande, le Royaume-Uni, l'Espagne, le Portugal, la Grèce. Plus tard, d'autres pays d'Europe rejoindront la communauté.

Avant l'assemblage, les éléments de l'Airbus, avion européen, sont fabriqués dans plusieurs pays.

Dans le sud de l'Europe, le climat chaud permet aux agrumes comme les citrons, les oranges de pousser.

À partir de plates-formes, les hommes exploitent le pétrole et le gaz des fonds de la mer du Nord.

L'église en bois de Hédal

Moulins des Pays-Bas

Le pont de Londres

La tour Eiffel à Paris

La tour de Belém à Lisbonne

Le palais de l'Escurial à Madrid

Château de Bavière

La tour de Pise

Océan

ISLANDE
Reykjavik

NORVÈGE
Hédal
Oslo

Mer du Nord

ROYAUME-UNI

IRLANDE
Dublin

DANEMARK
Copenhague

Amsterdam
Londres
PAYS-BAS
ALLEMAGNE
Berlin

Bruxelles
BELGIQUE
LUXEMBOURG
Paris
FRANCE

Berne
SUISSE
LIECHTENSTEIN

Prag
RÉP. TCHÈQ

Vienne
AUTRICHE
SLOVÉN
Ljubljana
Zagr
CROATIE

Océan Atlantique

Manche

ESPAGNE
Madrid
ANDORRE

Lisbonne
PORTUGAL

Détroit de Gibraltar

Rome
ITALIE

Mer Méditerranée

MALTE

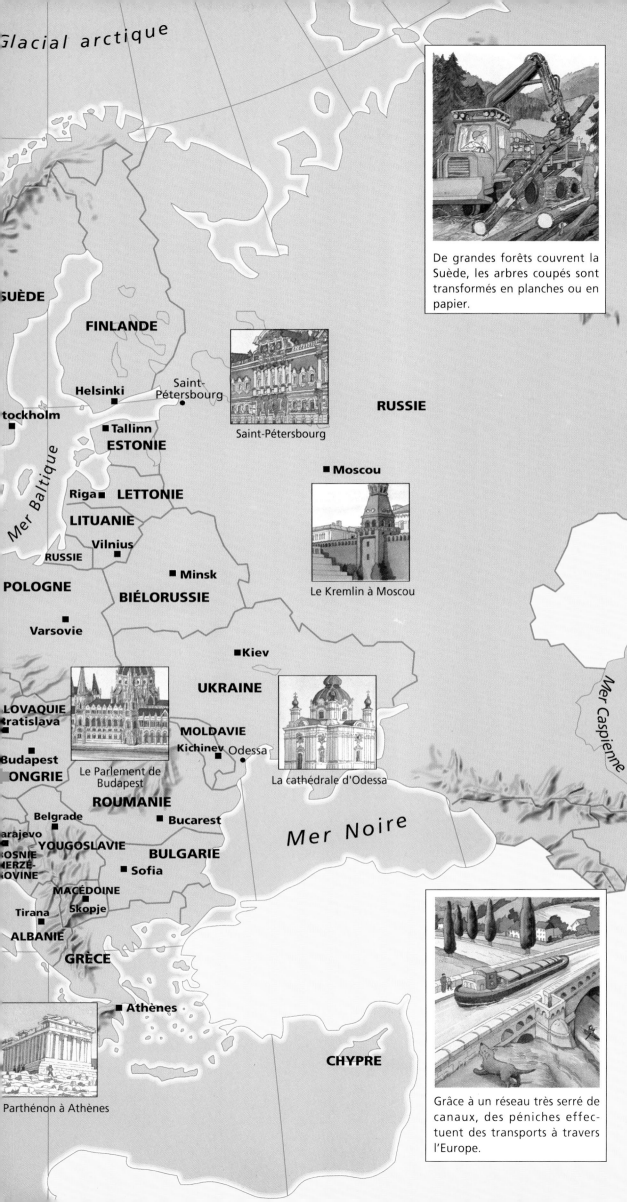

Glacial arctique

SUÈDE

FINLANDE

Helsinki

Stockholm

■ Tallinn

ESTONIE

Mer Baltique

Riga ■ LETTONIE

LITUANIE

Vilnius ■

RUSSIE

POLOGNE

Varsovie

Saint-Pétersbourg

Saint-Pétersbourg

RUSSIE

■ Moscou

Le Kremlin à Moscou

■ Minsk

BIÉLORUSSIE

■ Kiev

UKRAINE

SLOVAQUIE
Bratislava

Budapest

HONGRIE

Le Parlement de
Budapest

MOLDAVIE
Kichinev

Odessa

La cathédrale d'Odessa

ROUMANIE

Belgrade

■ Bucarest

Sarajevo

YOUGOSLAVIE

BOSNIE
HERZÉ-
GOVINE

BULGARIE

■ Sofia

MACÉDOINE

Tirana

Skopje

ALBANIE

GRÈCE

■ Athènes

Parthénon à Athènes

Mer Noire

Mer Caspienne

CHYPRE

De grandes forêts couvrent la Suède, les arbres coupés sont transformés en planches ou en papier.

L'industrie automobile européenne emploie 1 million et demi d'ouvriers et utilise 1 000 robots.

Les plaines d'Europe centrale sont très fertiles; les paysans d'Ukraine produisent beaucoup de céréales.

L'électronique et les télécommunications sont une branche importante de l'industrie européenne.

Grâce à un réseau très serré de canaux, des péniches effectuent des transports à travers l'Europe.

La Hollande produit beaucoup de tulipes, elles sont exportées par avion dans le monde entier.

L'Asie, continent des records

L'Asie, continent gigantesque, s'étire de l'océan Arctique à l'océan Indien, de l'Oural à l'océan Pacifique.

On y trouve aussi bien l'Everest, sommet le plus haut de la terre, que la mer Morte, point le plus bas.

Tous les paysages sont représentés : déserts chauds à l'ouest, froids à l'est, immenses forêts au nord, épaisses jungles au sud.

En Sibérie, il fait si froid que le sol est toujours gelé en profondeur. Au sud, les typhons, tremblements de terre, éruptions volcaniques font des ravages.

L'antilope saïga, le chameau et le cheval sauvage courent dans les vastes steppes herbeuses.

Les tours de Cappadoce

La panthère des neiges (once), le yack et le panda vivent seulement dans les montagnes d'Asie.

L'oryx, le chacal et le dromadaire parviennent à survivre dans les déserts chauds.

dromadaire

chacal

Pour comparer : taille de la France

oryx

Mer Noire · **Cappadoce** · **Caucase** · **Mer Caspienne** · Volga · **Europe** · **Mer Méditerranée** · **Mer Morte** · Euphrate · Golfe Persique · **Arabie** · **Mer Rouge** · Océ

La jungle est une forêt très dense et très humide car elle est abondamment arrosée par les pluies de la mousson. De nombreuses espèces y habitent : le tigre, le cobra, le pangolin, le rhinocéros et l'éléphant. Dans les arbres, où ils sont plus à l'abri, vivent l'orang-outang et le gibbon.

LES RECORDS DU MONDE

- le mont Everest : 8 846 m de haut.

- le lac Baïkal : 1 620 m de profondeur.

- la mer Morte, - 392 m : le point le plus bas.

Océ

Pôle Nord

rctique

renard blanc

renne

Ob

Sibérie

Lena

zibeline

Le lac Baïkal

loup

Oural

ours

Lac
Baïkal

chameau

cheval

Les steppes de Mongolie

Mongolie

Fuji Yama

Le volcan Fuji Yama

saïga

Lac
Balkach

once

Désert de Gobi

Huang He

**Océan
Pacifique**

Les montagnes d'Afghanistan

yack

Tibet

Himalaya

Les pitons rocheux de Guilin

Guilin

Indus

Everest
8 846 m

panda

L'Everest

Gange

tigre

Philippines

Plus de 5 000 îles forment
l'archipel des Philippines.

rhinocéros

python

Mékong

cobra

éléphant

Bornéo

orang-outang

Krakatoa

Indien

pangolin

gibbon

Les îles Maldives

Maldives

Le volcan Krakatoa

Les petits sapins de la taïga du nord de la Sibérie abritent la zibeline, le loup et l'ours. Dans l'immense toundra, le renard blanc et les troupeaux de rennes se déplacent à découvert.

L'Asie, des milliards d'habitants

Plus de la moitié de la population du globe vit en Asie. Les plaines, les vallées, les îles du Sud et de l'Est sont les plus habitées mais d'autres régions sont presque vides.

La Chine, avec 1 200 millions d'habitants, l'Inde avec 800 millions, sont les pays les plus peuplés de la terre.

Les plus riches sont le Japon avec ses industries, l'Arabie et ses voisins avec leur pétrole.

Par contre, le Bangladesh, régulièrement dévasté par les typhons, est un des pays les plus pauvres au monde.

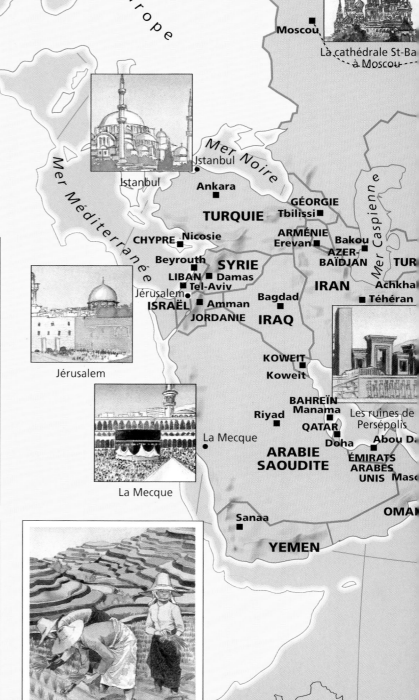

L'exploitation d'énormes réserves de pétrole enrichit les pays et les émirats de la péninsule arabique.

L'importante récolte de coton du Kazakhstan est rassemblée en grandes piles, puis expédiée vers les filatures.

Les feuilles de thé vertes sont cueillies à la main par les Indiennes. Elles seront ensuite séchées.

Dans les plantations de Malaisie, on recueille la sève de l'hévéa pour fabriquer le caoutchouc.

Le riz est l'aliment principal des Asiatiques. Dans la plupart des pays, on peut faire deux récoltes par an.

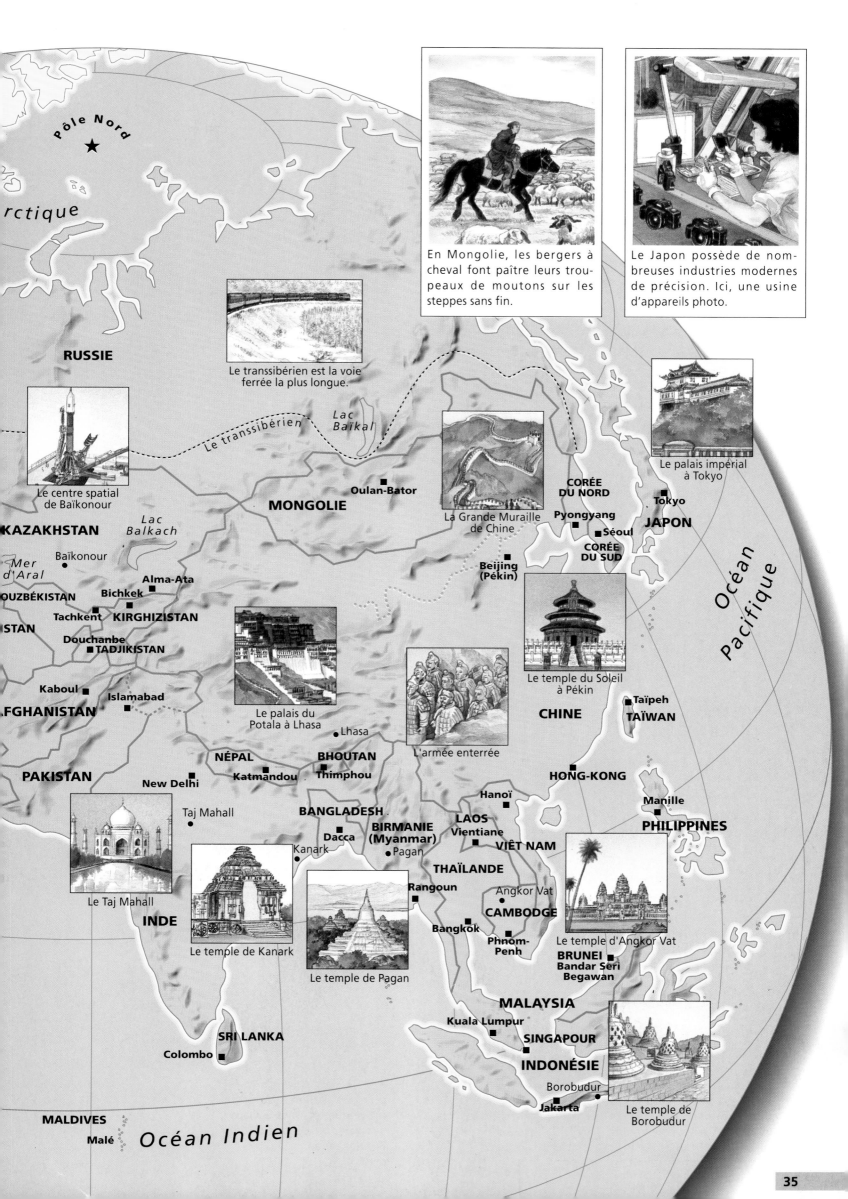

En Mongolie, les bergers à cheval font paître leurs troupeaux de moutons sur les steppes sans fin.

Le Japon possède de nombreuses industries modernes de précision. Ici, une usine d'appareils photo.

Pôle Nord

rctique

RUSSIE

Le transsibérien est la voie ferrée la plus longue.

Le transsibérien

Lac Baïkal

Le centre spatial de Baïkonour

KAZAKHSTAN

Lac Balkach

Baïkonour

Oulan-Bator

MONGOLIE

La Grande Muraille de Chine

CORÉE DU NORD

Pyongyang

Le palais impérial à Tokyo

Tokyo

JAPON

Mer d'Aral

Alma-Ata

OUZBÉKISTAN

Bichkek

Séoul

CORÉE DU SUD

Tachkent **KIRGHIZISTAN**

ISTAN

Beijing (Pékin)

Douchanbe

TADJIKISTAN

Le palais du Potala à Lhasa

Le temple du Soleil à Pékin

Kaboul

Islamabad

AFGHANISTAN

L'armée enterrée

CHINE

Taïpeh

TAÏWAN

Lhasa

NÉPAL

BHOUTAN

PAKISTAN

Katmandou

Thimphou

HONG-KONG

New Delhi

Hanoï

Manille

Taj Mahall

BANGLADESH

LAOS

PHILIPPINES

Le Taj Mahall

Dacca

BIRMANIE (Myanmar)

Vientiane

VIÊT NAM

Kanark

Pagan

THAÏLANDE

INDE

Le temple de Kanark

Rangoun

Angkor Vat

Le temple de Pagan

Bangkok

CAMBODGE

Le temple d'Angkor Vat

Phnom-Penh

BRUNEI

Bandar Seri Begawan

MALAYSIA

SRI LANKA

Kuala Lumpur

SINGAPOUR

Colombo

INDONÉSIE

Borobudur

MALDIVES

Le temple de Borobudur

Malé *Océan Indien*

Jakarta

Océan Pacifique

L'Afrique,
une nature sauvage

Second continent par la taille et le plus chaud du monde, l'Afrique est un vaste ensemble de plateaux, de cuvettes et de volcans comme le Kilimandjaro.
L'Équateur la traverse en son milieu : là poussent les forêts humides et denses.
Quand on s'en éloigne, on trouve la savane plus sèche puis le désert : le Sahara aux pluies très rares s'étend sur près de la moitié du continent.
Beaucoup d'animaux vivent à l'état sauvage ; pour préserver des espèces comme l'éléphant, on a créé des réserves.

Les gorges du Draa

A t l a s
Gorges du Draa

Le massif du Tassili

TA

fennec

Océan Atlantique

autruche

Niger

Un baobab

Côte de l'Ivoire

La côte de l'Ivoire

Dans la forêt chaude et humide, située de part et d'autre de l'Équateur, se sont réfugiés les derniers gorilles. Riche en plantes diverses et en bois précieux, cette forêt abrite aussi le mandrill, le boa, le calao, le pangolin et le léopard.

LES RECORDS DU MONDE

• le Nil, 6 700 km : le plus long fleuve.

• le Sahara : le plus grand désert.

Parmi les hautes herbes et les arbres clairsemés de la savane vivent beaucoup de grands animaux. On peut apercevoir le lion, l'éléphant, la girafe, l'autruche, le rhinocéros et la hyène. La courte saison des pluies remplit d'eau les marigots et les rivières où vivent côte à côte l'hippopotame et le crocodile.

Le fennec, le dromadaire et la gazelle addax sont des animaux adaptés à la sécheresse et à la chaleur du désert.

Mer Méditerranée

SILI

dromadaire

Les dunes du Sahara

Mer Rouge

Les volcans de la Gorge du diable

Sahara

Lac
Tchad

gazelle

crocodile

Gorge•
du
diable

Océan
Indien

hyène

calao

Nil

Les rives du lac Victoria

éléphant

mandrill

Zaïre

boa

gorille

Lac
Victoria

Kilimandjaro
5 895 m

Le Kilimandjaro

Équateur

léopard

**Bassin
du
Congo**

Lac
Tanganyka

rhinocéros

Pour
comparer :
taille de
la France

lion

Les chutes du Zambèze

Lac
Malawi

caméléon

Namib

zèbre

Zambèze

hippopotame

Canal de Mozambique

Madagascar

girafe

lémur

Drakensberg

Le désert de Namib

Cap de Bonne
Espérance

Les lémurs et le caméléon,
animaux rares, vivent à
Madagascar. On y voit aussi
l'arbre des voyageurs.

L'Afrique, continent des premiers hommes

L'Afrique est peuplée depuis très longtemps : on y a trouvé le plus vieux squelette humain. Trois races vivent sur ce continent où l'on parle 800 dialectes et langues. Des blancs, arabes et berbères peuplent le nord. Des populations noires habitent au sud du Sahara, et quelques Européens sont installés en Afrique du Sud. Jadis colonies, les pays devenus indépendants sont pour la plupart très pauvres, forêts et mines sont les seules richesses. Les sécheresses sont cause de famines.

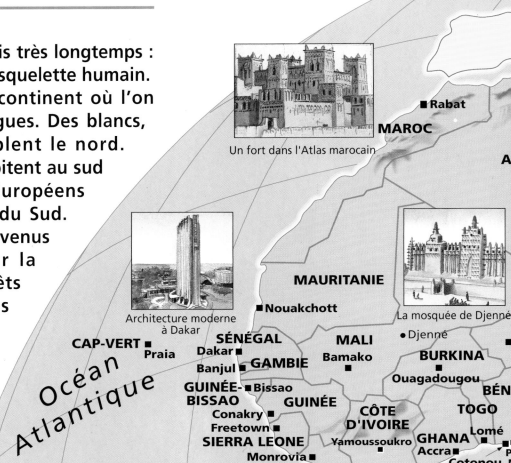

Un fort dans l'Atlas marocain

MAROC

ALGÉRIE

Alger
■ Rabat

Architecture moderne à Dakar

La mosquée de Djenné

MAURITANIE
■ Nouakchott

• Djenné

MALI
Bamako ■

■ Niamey

CAP-VERT ■
Praia

SÉNÉGAL
Dakar ■
Banjul ■ GAMBIE

BURKINA
■
Ouagadougou

BÉNIN

GUINÉE-
BISSAO
■ Bissao
Conakry ■
Freetown ■
SIERRA LEONE
Monrovia ■
LIBÉRIA

GUINÉE

CÔTE
D'IVOIRE
Yamoussoukro ■
Abidjan

TOGO
Lomé
GHANA
Accra ■
Porto-
Cotonou Novo

Abuja ■
■ Lagos

Malak
Sa
SAO TOMÉ- Tor
ET-PRINCIPE

Équateur

Océan
Atlantique

Falaise habitée
de Bandiagara au Mali

Masque gabonais

En Mauritanie, le plus long train du monde (200 wagons) achemine du minerai de fer vers un port.

Les caravanes de dromadaires des Touaregs transportent des marchandises à travers le désert du Sahara.

Les fèves des cacaotiers d'Afrique sont récoltées et transformées en délicieux chocolat.

Pour nourrir sa famille, le paysan africain cultive à la main sa petite parcelle de terre non loin du village.

Au Kenya, on vient faire des safaris : les touristes observent les animaux depuis les voitures et les photographient.

Riche en minerais extraits d'immenses mines à ciel ouvert, le Zaïre exporte sa production partout dans le monde.

Tunis

TUNISIE

Mer Méditerranée

Tripoli

LIBYE

ÉGYPTE

Le Caire ■

Guizeh

Le Sphinx et les Pyramides
de Guizeh

Les oasis sont des points d'eau
au milieu du désert : on peut y
faire des cultures et de
l'élevage.

Abu Simbel

Le temple d'Abu Simbel

Les peintures rupestres du Tassili

assili

NIGER

TCHAD

Lac
Tchad

■ Ndjamena

NGÉRIA

CAMEROUN

Yaoundé

**GUINÉE
QUATORIALE**

■ Libreville

GABON

CONGO

Brazzaville ■

CABINDA
(ANGOLA)

Kinshasa ■

**RÉPUBLIQUE
CENTRAFRICAINE**

Bangui ■

ZAÏRE

Statue zaïroise

SOUDAN

Khartoum ■

Asmara
■

ÉRYTHRÉE

DJIBOUTI
Djibouti

Addis-Abeba
■

ÉTHIOPIE

SOMALIE

Église taillée dans le roc
en Éthiopie

Mogadiscio ■

OUGANDA

Kampala ■

Kigali ■

RWANDA

BURUNDI

Bujumbura ■

Lac
Victoria

KENYA

■ Nairobi

Dodoma ■

Lac
Tanganyka

Dar-es-Salam ■

TANZANIE

La mosquée de Nairobi

Océan
Indien

Pour
comparer :
taille de
la France

■ Luanda

ANGOLA

NAMIBIE

Windhoek ■

ZAMBIE

Lusaka ■

Lac
Malawi

MALAWI

Lilongwe ■

Harare ■

ZIMBABWE

Ancien temple du Zimbabwe

MOZAMBIQUE

Antananarivo ■

MADAGASCAR

BOTSWANA

Gaborone ■

Pretoria ■

Mbabane ■

■ Maputo

SWAZILAND

**AFRIQUE
DU SUD**

LESOTHO

Maseru ■

La ville du Cap

Le Cap ●

Les plus grandes mines d'or et
de diamant sont en Afrique du
Sud. C'est le premier pro-
ducteur mondial.

Mer Rouge

39

L'Amérique du Nord, des sites grandioses

Le continent nord-américain, troisième par la taille, s'étend des régions froides proches du Pôle Nord jusqu'aux régions chaudes tropicales. On y trouve tous les types de paysages. À l'ouest, les Rocheuses, longue chaîne de montagnes élevées, longent la côte du Pacifique. Vers l'est, les plaines s'étendent jusqu'aux montagnes Appalaches, près de l'Atlantique. Le nord est couvert de vastes forêts de résineux. À l'approche de l'océan Arctique, il règne un climat polaire. Vers le sud-ouest, ce sont des zones désertiques, les paysages gigantesques des westerns, alors que dans le sud-est très humide on trouve de nombreux marais.

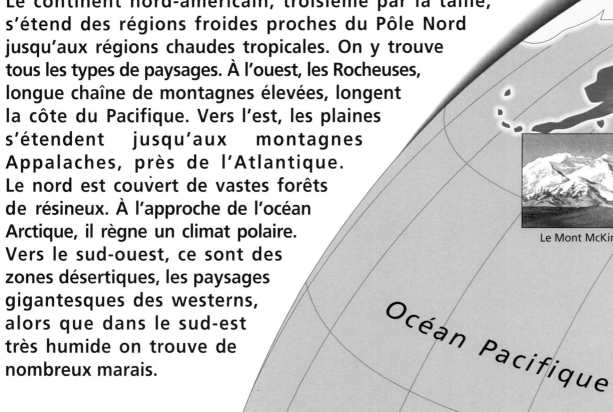

Alaska

▲ McKinley 6187 m

grizzli

Yukon

chèvre blanche

Montagnes

cougar

Océan Pacifique

Rocheuses

Des séquoias

crotale

Californie

Le Mont McKinley

LES RECORDS DU MONDE

• les séquoias : les plus grands arbres.

• le Groenland : la plus grande île.

• le lac Supérieur : le plus grand lac.

Les régions polaires du nord, très froides, sont le domaine de l'ours blanc, du phoque et du morse.

La forêt boréale, taïga constituée de petits résineux, abrite l'élan, l'ours grizzli, le loup et le castor.

Les montagnes Rocheuses sont le refuge de la chèvre blanche, du puma et de l'aigle à tête blanche.

Le coyote, le géocoucou et le crotale résistent bien au rude climat des déserts chauds et secs de l'ouest.

Cerfs, ratons-laveurs et quelques troupeaux de bisons peuplent encore les grandes prairies du centre.

Les alligators, espèce protégée, hantent les marécages du sud où vivent le rat musqué et l'aigrette.

Pour comparer : taille de la France

Pôle Nord

Océan Glacial arctique

phoque

ours blanc

Les glaciers du Groenland

morse

Groenland

élan

La forêt et les lacs canadiens

Baie d'Hudson

Labrador

Les montagnes Rocheuses

loup

castor

aigle à tête blanche

Grandes

Lac Supérieur

Les Grands Lacs

Saint-Laurent

Le Grand Canyon

Lac Huron

Lac Michigan

Lac Érié

Lac Ontario

Chutes du Niagara

bison

Ohio

Appalaches

Les chutes du Niagara

Colorado

Plaines

Monument Valley

Grand Canyon

raton-laveur

Mississippi

cerf

rat musqué

Les marais des Everglades

Monument Valley

Sierra Madre

Rio Grande

aigrette

Floride

géocoucou

alligator

Everglades

Océan Atlantique

coyote

Golfe du Mexique

Popocatepetl 5452 m

Grandes Antilles

Le volcan Popocatepetl

L'Amérique du Nord, continent moderne

Autrefois peuplé de tribus indiennes, ce vaste continent a été envahi par les Européens attirés par ses richesses.

Au nord, le Canada est l'État le plus grand et le moins peuplé.

Au centre, les États-Unis d'Amérique ont la population la plus riche et la plus nombreuse du continent.

Au sud, le Mexique est plus pauvre ; ses habitants, comme ceux d'autres pays, cherchent souvent à entrer aux États-Unis pour y trouver du travail.

La population des États-Unis est donc un mélange de races unique au monde.

Sculpture sur bois inuit

Yukon

Alaska
(États-Unis)

Océan Pacifique

Vancouver

Seattle

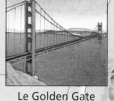

Le Golden Gate
à San Francisco

• San Francisco

Los Angeles •

Colorado

Les États-Unis sont les premiers fabricants d'ordinateurs du monde : c'est là qu'ils ont été inventés.

Les cow-boys gardent encore les grands troupeaux de bovins dans les plaines et les Rocheuses.

Boeing, le premier constructeur d'avions au monde, peut produire plusieurs gros appareils par semaine.

À Hollywood, on peut visiter les plus grands studios de cinéma où sont tournés de nombreux films.

L'agriculture américaine, très moderne, produit du blé en quantité, exporté dans le monde entier.

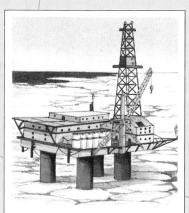

Malgré la neige et les grands froids, d'énormes réserves de pétrole sont exploitées en Alaska.

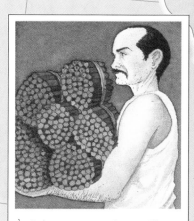

À Cuba poussent les meilleurs tabacs. On y fabrique les Havanes, les plus fameux cigares du monde.

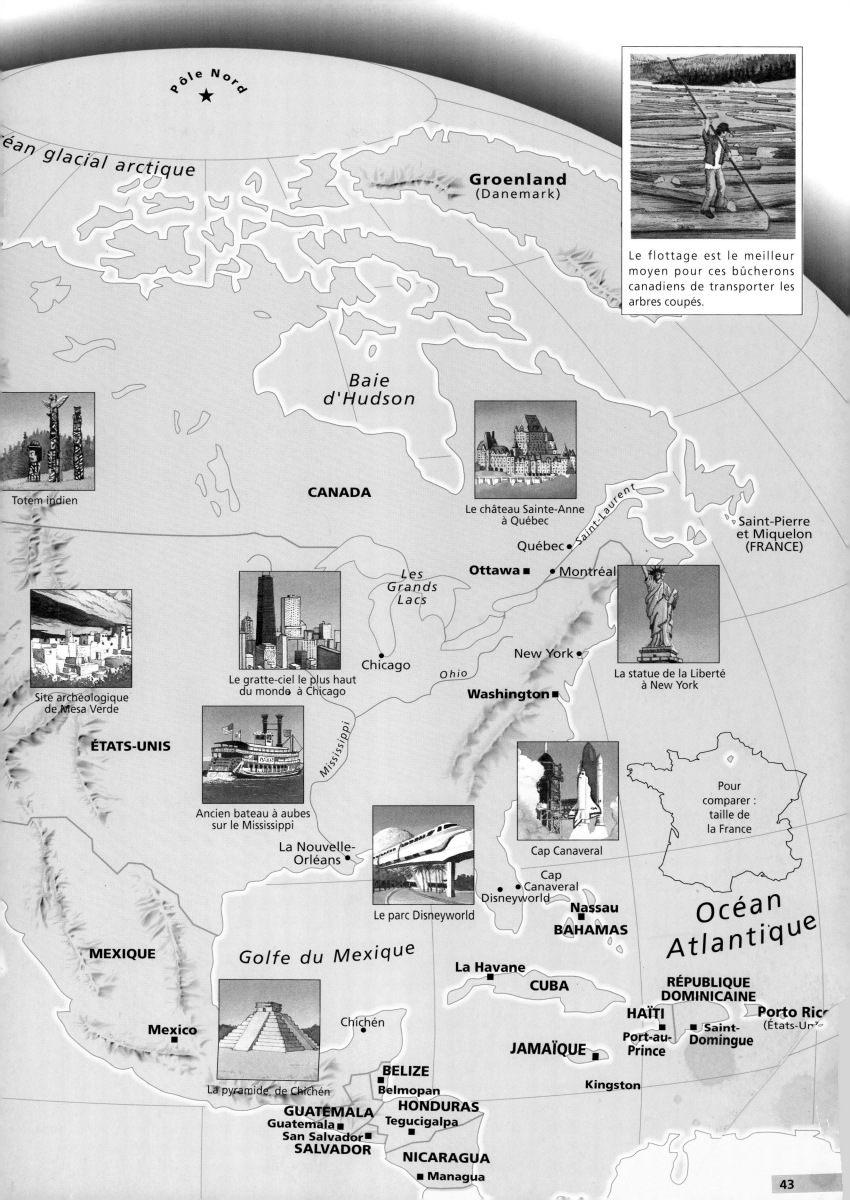

Pôle Nord

Océan glacial arctique

Groenland
(Danemark)

Le flottage est le meilleur moyen pour ces bûcherons canadiens de transporter les arbres coupés.

Baie d'Hudson

Totem indien

CANADA

Le château Sainte-Anne à Québec

Saint-Laurent

Québec ●

Saint-Pierre et Miquelon (FRANCE)

Les Grands Lacs

Ottawa ■ ● **Montréal**

Site archéologique de Mesa Verde

Le gratte-ciel le plus haut du monde à Chicago

● Chicago

Ohio

New York ●

La statue de la Liberté à New York

ÉTATS-UNIS

Mississippi

Ancien bateau à aubes sur le Mississippi

Washington ■

Cap Canaveral

Pour comparer : taille de la France

La Nouvelle-Orléans ●

Le parc Disneyworld

Cap Canaveral ●
● Disneyworld

Océan Atlantique

Nassau ■
BAHAMAS

MEXIQUE

Golfe du Mexique

La Havane ■

CUBA

RÉPUBLIQUE DOMINICAINE

Mexico ●

Chichén ●

HAÏTI
■ **Saint-Domingue**

Porto Rico (États-Unis)

Port-au-Prince ■

La pyramide de Chichén

JAMAÏQUE ■

BELIZE
Belmopan ■

Kingston ●

HONDURAS
Tegucigalpa ■

GUATEMALA
Guatemala ■
San Salvador ■
SALVADOR

NICARAGUA

■ Managua

L'Amérique du Sud, le continent vert

L'Amérique du Sud est, par sa taille, le quatrième continent du monde. Situé entre l'Équateur et l'Antarctique, il commence au nord à l'isthme de Panama et se termine au sud par la pointe du terrible cap Horn. Les Andes, la plus longue chaîne de montagnes du monde (8 000 kilomètres), le parcourent d'un bout à l'autre, parsemées de nombreux volcans en activité.

C'est là aussi qu'on trouve une immense forêt vierge, en Amazonie, dont certaines parties, impénétrables, sont encore inexplorées. De nombreuses espèces vivantes sont encore à découvrir. En revanche, pas un arbre ne pousse dans l'Atacama, désert le plus sec du monde où il n'a pas plu depuis 400 ans.

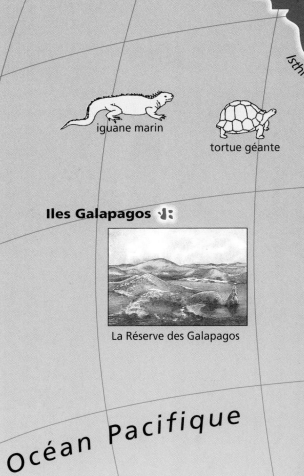

iguane marin

tortue géante

Iles Galapagos

La Réserve des Galapagos

Océan Pacifique

Isthme d

Dans la forêt équatoriale, appelée forêt vierge, les arbres sont si hauts et si serrés qu'ils empêchent presque la lumière de pénétrer. Il y fait très humide et très chaud. Elle abrite le plus grand nombre d'animaux et de végétaux différents. Des animaux dangereux comme l'anaconda, le caïman et l'ocelot côtoient le singe, le paresseux, le tapir, l'ara et le toucan, plus paisibles.

LES RECORDS DU MONDE

• la chute Salto Angel : 978 m de haut.

• les chutes d'Iguaçu : 3 500 m de large.

• l'Amazonie : la plus grande forêt tropicale.

Les Galapagos sont le seul lieu au monde où vivent la tortue géante et l'iguane marin. Ils y sont protégés.

Dans le chaco, arbustes épineux et cactus de la savane abritent fourmilliers, tatous et cabiais.

Dans les Andes très élevées, le lama, le chinchilla et le condor sont habitués à l'oxygène raréfié.

Dans la pampa, vaste plaine herbeuse au climat frais et sec, les pumas et les nandous courent à l'aise.

Le volcan Cotopaxi

La chute Salto Angel

anama

Cotopaxi
5 897 m ▲

condor

toucan

Salto
Angel

paresseux

anaconda

Amazone

A m a z o n i e

Équateur

Pour
comparer :
taille de
la France

La forêt d'Amazonie

singe

C o r d i l l è r e   d e s   A n d e s

Madeira

ocelot

ara

Araguaia

tapir

Lac
Titicaca

cabiai

Le désert d'Atacama

Atacama

lama

caïman

fourmillier

Paraguay

Paraná

Iguaçu

Les chutes d'Iguaçu

chinchilla

tatou

Aconcagua
▲ 6 958m

L'Aconcagua, le plus haut
sommet de l'Amérique du Sud

P a m p a

nandou

Océan Atlantique

puma

P a t a g o n i e

Les montagnes
de Patagonie

Le Cap Horn

ANTARCTIQUE

45

L'Amérique du Sud, les trésors du passé

Il y a 500 ans, le continent était peuplé par les Indiens. Certains d'entre eux, les Incas, vivaient en sociétés très organisées. Après avoir éliminé une partie de ces peuples, les conquérants espagnols et portugais firent exploiter les richesses du pays par des esclaves amenés d'Afrique noire. La population actuelle est donc très mélangée et parle l'espagnol, le portugais et le quechua, ancienne langue des Incas. La majorité des terres appartient à quelques grands propriétaires. Beaucoup de paysans doivent aller défricher la forêt ou chercher du travail dans les villes. Dans la forêt amazonienne vivent encore des tribus primitives.

GUATEMALA
Guatemala
San Salvador
SALVADOR

HONDURA
Tegucigal
NICARAGU
Managua
San José
COST
RICA

Une église en Équateur

Iles Galapagos
(ÉQUATEUR)

Océan Pacifique

Les statues géantes de l'île de Pâques

Ile de Pâques
(CHILI)

Le barrage hydroélectrique d'Itaïpu, entre le Brésil et le Paraguay, est le plus grand du monde.

Ces gros camions sortent de la forêt les bois précieux qui seront vendus dans le monde entier.

En Argentine, les gauchos gardent des milliers de moutons sur les plaines immenses de la pampa.

Espérant s'enrichir dans les mines du Brésil, des milliers de gens risquent leur vie en creusant le sol pour trouver de l'or.

Pays peu industrialisé, le Brésil possède pourtant des usines modernes : ici, on construit des avions.

Chuquicamata au Chili : nulle part ailleurs on ne peut trouver une plus grande mine de cuivre à ciel ouvert.

MARTINIQUE
SAINTE-LUCIE
SAINT-VINCENT
BARBADE
GRENADE
TRINITÉ-ET-TOBAGO

PANAMA
Canal de Panama
Panama

Caracas
VENEZUELA

Santa Fe de Bogota
COLOMBIE

Georgetown
GUYANA
Paramaribo
SURINAME
Kourou
GUYANE FRANÇAISE

Kourou, base de lancement de la fusée Ariane

Pour comparer : taille de la France

Quito
ÉQUATEUR

La Cité perdue

Équateur

PÉROU

Lima

La cité Inca de Machu Picchu

BRÉSIL

BOLIVIE

La Paz

Brasilia capitale moderne

Brasilia

Sucre

Le train des Andes, le plus haut du monde

PARAGUAY

Assomption
Itaïpu

Rio de Janeiro

La baie de Rio

URUGUAY

ARGENTINE

Santiago

Buenos Aires

Montevideo

CHILI

Océan Atlantique

Iles Falklands
(Royaume-Uni)

Ushuaia

Ushuaia, la ville du bout du monde

Des paysans pauvres brûlent la forêt. Ils labourent la terre pour cultiver de quoi se nourrir.

Dans les plantations de Colombie, on produit un café très apprécié, vendu dans tous les pays.

ANTARCTIQUE

L'oiseau de paradis, le python vert, le crocodile, vivent dans les forêts tropicales du nord de l'Océanie.

oiseau de paradis

La maison des esprits

PAPOUASIE NOUVELLE-GUINÉE

python vert

■ **Port Moresby**

La Grande Barrière de corail

crocodile

Monts Kimberley

Les monts Kimberley

Grand Désert de sable

chlamydosaure

Peintures rupestres

casoar

serpent tigre

koala

dingo

Alice Springs

Ayers Rock

▲ **Désert de Simpson**

Ayers Rock, la montagne sacrée

AUSTRALIE

kangourou

émeu

ornithorynque

• Perth

Canberra ■

• Sydney

• Adélaïde

Kosciusko 2 231 m ▲

La ville de Perth

Melbourne •

L'opéra de Sydney

Tasmanie

diable de Tasmanie

Océan Indien

Grande Barrière de corail

Dans le bush australien, vaste plaine couverte de buissons, sautent les kangourous, courent les dingos et les émeus. Le serpent-tigre et l'impressionnant chlamydosaure rampent dans les parties plus désertiques.

La savane, parsemée d'arbres comme l'eucalyptus, est fréquentée par le casoar, le koala et l'ornithorynque.

Dans la forêt de Tasmanie se cache le diable de Tasmanie. On ne trouve le kiwi qu'en Nouvelle-Zélande.

L'Océanie, très loin de l'Europe

Pour comparer : taille de la France

ILES SALOMON

Honiara ■

Dans l'océan Pacifique, l'Océanie est constituée de milliers d'îles dont l'Australie, 14 fois plus grande que la France, où, à part quelques montagnes, le territoire est plat et désertique.

La forêt tropicale aux pluies abondantes couvre la Nouvelle-Guinée et le nord de l'Australie. Le sud-est et la Nouvelle-Zélande, pays voisin, ont un climat tempéré.

L'Australie était peuplée d'aborigènes presque disparus aujourd'hui. Puis les Anglais, venus coloniser, ont construit des villes sur les côtes.

VANUATU   **FIDJI**
■ Port Vila   ■ Suva

Nouvelle-Calédonie (FRANCE)

Nouméa ●

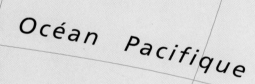
Les îles Fidji

Océan Pacifique

Milford Sound en Nouvelle-Zélande

Auckland ●

NOUVELLE-ZÉLANDE

Wellington ■

Milford Sound ●

kiwi

LE RECORD DU MONDE

• la Grande Barrière de corail : le plus grand récif coralien.

On utilise de gros camions à plusieurs remorques pour déplacer le bétail sur de grandes distances.

L'Australie est riche en minerais faciles à extraire dans de gigantesques mines à ciel ouvert.

Le mouton est tondu en 1 minute ; la laine de Nouvelle-Zélande s'exporte dans le monde entier.

L'Antarctique

L'immense continent antarctique s'étend autour du Pôle Sud. Il est couvert d'une couche de glace, parfois épaisse de 2 kilomètres, que dominent des montagnes et un volcan actif, l'Erebus. Les vents violents et les températures très basses le rendent inhabitable.

L'Antarctique n'appartient à personne. Seuls vivent dans des bases les scientifiques qui étudient la météorologie.

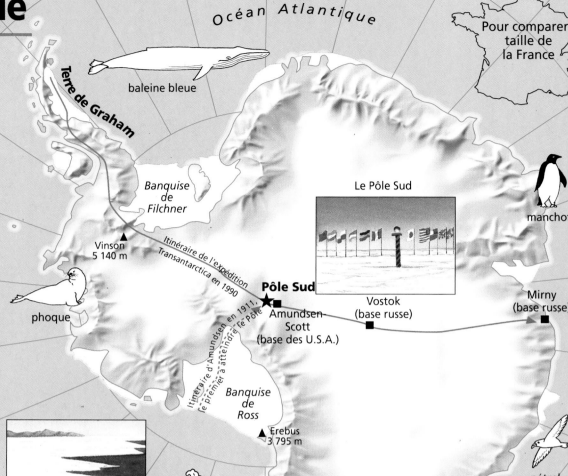

Océan Atlantique

Terre de Graham

baleine bleue

Pour comparer : taille de la France

manchot

Banquise de Filchner

Le Pôle Sud

Vinson 5 140 m

Itinéraire de l'expédition Transantarctica en 1990

Pôle Sud

Amundsen-Scott (base des U.S.A.)

Vostok (base russe)

Mirny (base russe)

Itinéraire d'Amundsen en 1911, le premier à atteindre le Pôle

phoque

Banquise de Ross

Erebus 3 795 m

éléphant de mer

Dumont d'Urville (base française)

pétrel

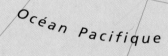

La banquise est une épaisse couche de glace qui recouvre la mer.

Les glaciers descendent jusqu'à la mer.

Les icebergs sont de gros blocs de glace détachés des glaciers.

Il a fallu 7 mois aux hommes et chiens de l'expédition Transantarctica pour traverser le continent.

Océan Pacifique

LES RECORDS DU MONDE.

• L'Antarctique : la plus grande étendue de glace

• Record de froid : - 90° c à Vostok.

NOUVELLE-ZÉLANDE

AUSTRALIE

Plusieurs mois d'hiver, un froid glacial : aucune vie n'est possible sur ce continent. Seules la côte et la mer environnante sont peuplées de nombreux phoques, éléphants de mer, manchots, pètrels, et baleines.

Les scientifiques français de la base Dumont d'Urville sont isolés durant 8 mois d'hiver polaire.

Quand la banquise a fondu durant le court été polaire, les bateaux viennent ravitailler les bases.